clv

Meinem Sohn Carsten

Werner Gitt

Fragen –
die immer wieder
gestellt werden

clv

Christliche
Literatur-Verbreitung e.V.
Postfach 11 01 35 · 33661 Bielefeld

Der Autor: Prof. Dr.-Ing. Werner Gitt, 1937 in Raineck/Ostpr. geboren. Von 1963 bis 1968 absolvierte er ein Ingenieurstudium an der Technischen Hochschule Hannover, das er als Dipl.-Ing. abschloß. Von 1968 bis 1971 war er Assistent am Institut für Regelungstechnik an der Technischen Hochschule Aachen. Nach zweijähriger Forschungsarbeit promovierte er zum Dr.-Ing. Seit 1971 leitet er den Bereich Datenverarbeitung bei der Physikalisch-Technischen Bundesanstalt (PTB) in Braunschweig. 1978 wurde er zum Direktor und Professor bei der PTB ernannt. Er hat sich mit wissenschaftlichen Fragestellungen aus den Bereichen Informatik, numerische Mathematik und Regelungstechnik beschäftigt und die Ergebnisse in zahlreichen wissenschaftlichen Originalarbeiten publiziert. Seit 1966 ist er mit seiner Frau Marion verheiratet. Im September 1967 wurde Carsten und im April 1969 Rona geboren.

1. – 3. Auflage 1989
4. – 7. Auflage 1990
8. – 9. Auflage 1991
10. Auflage 1992
11. Auflage 1993
12. Auflage 1994
13. Auflage 1995
14. Auflage 1996

© 1989 by CLV · Christliche Literatur-Verbreitung
Postfach 110135 · 33661 Bielefeld
Umschlag: Dieter Otten, Bergneustadt
Satz: CLV/Typo Schröder, Dernbach
Druck und Bindung: Ebner Ulm

ISBN 3-89397-127-0

Inhaltsverzeichnis

Vorwort

Buchidee: Die Idee zu diesem Buch entstand während einer evangelistischen Vortragsreihe, die der Verfasser in origineller Umgebung im Münchener Modehaus *Mühlhäuser* gehalten hat. Der Modemacher *Harro Mühlhäuser* stellte die erste Etage seines Geschäftshauses jeweils am Abend für die einwöchige Veranstaltungsreihe zur Verfügung. Das bedeutete: Jeden Abend Kleider abhängen, Ständer wegräumen, 250 Stühle aufstellen, Vortrag halten, dann Stühle wieder zusammenstellen, Kleiderständer wieder aufstellen, damit das Personal am anderen Morgen die Kleider wieder aufhängen konnte. Die Stühle reichten zwar lange nicht aus, aber der weiche Teppichboden und die Treppenstufen dienten zusätzlich als bequeme Sitzgelegenheiten. So fanden 350 Personen problemlos Platz. Wegen der zentralen Lage des Geschäftes in der Münchener Fußgängerzone (nur wenige Meter vom Rathausplatz und von der Frauenkirche entfernt) gab es einen sehr hohen Besucheranteil aus nichtchristlichen Kreisen. Nach der Veranstaltung bestand die Möglichkeit, zu dem Gehörten Fragen zu stellen. Hiervon wurde ausgiebig Gebrauch gemacht. Dabei wurden Fragen offenbar, die vor einer Glaubensentscheidung erst einer Klärung bedürfen.

Art der Fragen: So enthält das vorliegende Buch eine Reihe jener Münchener Fragen. Darüberhinaus sind andere Fragen beantwortet, die dem Verfasser nach ähnlichen Vorträgen an anderen Orten gestellt wurden. Seit Jahren leitet er die „Krelinger Fragestunde" auf dem Ahldener Jugendtag, wo ebenfalls zahlreiche Probleme zur Sprache kommen. Allen in diesem Buch behandelten Fragen ist gemeinsam, daß sie wirklich erfragt wurden. So gibt das vorliegende Buch keinen von „insidern" erwarteten Fragen-Querschnitt durch die Bibel wieder, sondern versucht, jene Probleme ernst zu nehmen, die Zweifler, Fragende und Suchende bewegen. Es handelt sich somit nicht um eine Sammlung spitzfindiger theologischer Fragestellungen oder einer theoretischen am „grünen Tisch" erstellten

Liste, sondern um Grundfragen suchender Leute, die sich aus der Praxis der Vortragstätigkeiten ergeben. Gelegentlich wurden auch originelle Einzelfragen aufgegriffen.

Methode der Beantwortung: Die von den Griechen des Altertums entwickelte Logik hat sich in den exakten Wissenschaften als so erfolgreich erwiesen, daß man versucht war, diese Denkweisen auch auf andere Bereiche zu übertragen. Die Zeitströmung der Aufklärung ist von dieser irrigen Auffassung getragen und hat in der Folge weithin dazu beigetragen, dem biblischen Glauben kritisch gegenüber zu stehen. Wären die hier behandelten Fragen von mathematisch-naturwissenschaftlicher Art, so hülfe uns der Kalkül der Logik weiter. Bei den hier anstehenden Problemen spielen aber Existenzfragen eine grundlegende Rolle, die sich im allgemeinen einer rein logischen Bearbeitung entziehen. Auch die Philosophie kann uns nicht weiterhelfen. Der Karlsruher Philosoph *Hans Lenk* gesteht ehrlicherweise ein:

> „Die Philosophie gibt selten endgültige inhaltliche Lösungen; sie ist ein Problemfach, kein Stoff- und Ergebnisfach. Für sie ist eine neue Problemperspektive viel wichtiger als die Teillösung einer überlieferten Frage."

Gott will und kann uns in alle Wahrheit leiten, sowohl in unserem Denken als auch im Handeln und Glauben. Der für uns alles entscheidende Maßstab ist darum das von Gott autorisierte Wort, das uns in Form der Bibel vorliegt. Diese Quelle ist durch kein menschliches Erzeugnis zu ersetzen. Da die Beantwortung aller Fragen grundlegend von diesem Maßstab abhängig ist, wird in einem ausführlichen Anhang auf das Wesen und die Auslegungsgrundsätze der Bibel eingegangen. Die Zusammenstellung in Form von Basissätzen geschieht hier erstmalig und soll das Grundsätzliche wiedergeben, das beim Umgang mit der Bibel vonnöten ist.

Die Antworten konnten aus Platzgründen nicht immer erschöpfend behandelt werden; außerdem mußte eine subjektive Auswahl aus zahlreichen gestellten Fragen getroffen werden.

Wegen der inhaltlichen Koppelung mancher Fragestellungen sind gelegentliche Überschneidungen bei den Antworten unvermeidlich. Zur besseren Übersicht sind die Fragen nach Themenbereichen gegliedert. Manches ist direkt biblisch beantwortbar, weil hierzu passend die Antwort explizit in der Bibel steht. Andere Fragen sind zwar auch biblisch beantwortbar, aber dies gelingt nur durch Schlußfolgerungen aus den gegebenen biblischen Texten. Schlußfolgerungen hängen in starkem Maße vom Kenntnisgrad der Bibel und von der individuellen Fähigkeit ab, von gegebenen biblischen Aussagen auf andere Antworten zu schließen. Hier kommt die Subjektivität des Autors zum Tragen. Unbeantwortbar bleiben in der Regel die „Warum-Fragen". Auch diese werden einmal geklärt, allerdings erst, wenn der Glaube zum Schauen kommt.

Dank: Meiner lieben Frau bin ich dankbar, daß sie mir bei der kritischen Durchsicht des Manuskriptes wertvolle Hinweise gab und die mühsame Schreibarbeit auf unserem Home-Computer übernommen hat.

Es ist nun unser Gebet, daß durch die vorliegende Schrift manch einem Suchenden in seinen Existenz- und Glaubensfragen geholfen werden könnte.

1. Die Frage nach Gott (FG)

FG1: *Woher kann ich wissen, daß es Gott überhaupt gibt?*

AG1: Es gibt kein Volk und keinen Stamm auf dieser Erde, in dem die Menschen nicht in irgendeiner Form an einen Gott, einen Geist oder ein Wesen glauben, das über ihnen steht. Das gilt auch für die isoliertesten Urwaldstämme, die nie eine Berührung mit einer anderen Kultur und schon gar nicht mit dem Evangelium hatten. Wie kommt das? Wir haben alle die denkerische Fähigkeit, von den wunderbaren Werken der beobachtbaren Schöpfung auf den unsichtbaren Schöpfer zu schließen. Niemand glaubt, daß ein Auto, eine Uhr oder auch nur ein Knopf oder eine Büroklammer von selbst entstehen. Darum schreibt Paulus im Neuen Testament: „Denn Gottes unsichtbares Wesen, das ist seine ewige Kraft und Gottheit, wird ersehen seit der Schöpfung der Welt und wahrgenommen an seinen Werken, so daß sie keine Entschuldigung haben" (Röm 1,20). Aus der Schöpfung können wir allerdings nur erfahren, daß ein Gott existiert und auf seine Kraft und seinen Ideenreichtum schließen, nicht aber auf seine Wesensart (z. B. Liebe, Leben, Barmherzigkeit, Güte). Dazu ist uns die Bibel gegeben.

FG2: *Wo ist Gott?*

AG2: Nach unseren menschlichen Vorstellungen versuchen wir, Gott räumlich zu lokalisieren. Darum finden wir bei den heidnischen Gottesvorstellungen des Altertums wie auch im Neuheidentum derartige Angaben. Die Griechen glaubten, ihre Götter würden auf dem Berg Olymp wohnen, und die Germanen lokalisierten sie in Walhall. *Laplace* meinte: „Ich habe das ganze Weltall durchforscht, aber Gott habe ich nirgends gefunden." Ähnliches stellten auch sowjetische Astronauten fest: „Ich bin Gott bei meinem Flug nicht begegnet" *(Nikolajew,* 1962 mit Wostok III). Alle diese Aussagen sind im

Licht der Bibel grundfalsch, denn Gott ist überräumlich. Er, der den Raum geschaffen hat, kann nicht Teil des Raumes sein. Vielmehr durchdringt er jede Position des Raumes; er ist allgegenwärtig. Dies erklärt Paulus den heidnischen Athenern auf dem Areopag: „In ihm (Gott) leben, weben und sind wir" (Apg 17,28). Der Psalmist weiß ebenso um diese Realität, wenn er bekennt: „Ich gehe oder liege, so bist du um mich und hältst deine Hand über mir" (Ps 139,3+5). Auch hier wird das vollständige Umgeben und Durchdringen Gottes angezeigt. Die mathematische Vorstellung von höherdimensionalen Räumen (unser Raum hat drei Dimensionen) kann uns bei der Frage „Wo ist Gott?" eine Hilfe sein. Der n-dimensionale Raum ist dabei nur eine Untermenge des $(n+1)$-dimensionalen Raumes. So ist z. B. der vierdimensionale Raum nicht vom dreidimensionalen faßbar, dennoch durchdringt er ihn völlig. Diesen Sachverhalt beschreibt die Bibel, wenn es in 1. Könige 8,27 heißt: „Denn sollte in Wahrheit Gott auf Erden wohnen? Siehe, der Himmel und aller Himmel Himmel können dich nicht fassen."

FG3: *Was bedeutet das Wort Gott – G.O.T.T.?*

AG3: Das Wort „Gott" ist kein Akronym, d.h. ein aus den Anfangsbuchstaben mehrerer Wörter gebildetes Kurzwort wie z. B. UFO (= **U**nbekanntes **F**lug**o**bjekt). Gott hat sich den Menschen immer wieder mit neuen Namen offenbart, die mit ihrer Wortbedeutung das Wesen Gottes beschrieben (die folgenden Bibelstellen geben das erste Vorkommen an):

Elohim (1 Mo 1,1; Gott – Pluralform, um die Dreieinigkeit von Vater, Sohn und Heiligem Geist auszudrücken)
Eloah (41mal im Buch Hiob, sonst nur vereinzelt; Gott – Singularform von Elohim)
El (1 Mo 33,20; Gott, der Allmächtige)
El-Olam (1 Mo 21,33; ewiger Gott)
El-Schaddai (1 Mo 17,1; allmächtiger Gott)
El-Roi (1 Mo 16,13; Gott, der mich sieht).
Jahwe (1 Mo 2,4; nach 2 Mo 3,14-15 „Ich bin, der ich bin")
Jahwe-Rapheka (2 Mo 15,26; Jahwe, dein Arzt)

Jahwe-Nissi (2 Mo 17,15; Jahwe, mein Panier)
Jahwe-Jireh (1 Mo 22,13+14; Jahwe ersieht)
Jahwe-Schalom (Ri 6,24; Jahwe ist Friede)
Jahwe-Zidkenu (Jer 23,6; Jahwe, unsere Gerechtigkeit)
Jahwe-Schammah (Hes 48,35; Jahwe ist daselbst)
Jahwe-Roi (Ps 23,1; Jahwe, mein Hirt)
Jahwe-Zebaoth (Gott der Heerscharen)
Adonai (1 Mo 15,2; mein Herr, 134mal im AT)
(Lit.: *Abraham Meister:* Biblisches Namenlexikon, Pfäffikon, 1970)

FG4: *Warum ist Gott nicht zu sehen?*

AG4: Die ersten von Gott geschaffenen Menschen, Adam und Eva, lebten in der Gemeinschaft mit Gott, so daß sie ihn auch von Angesicht zu Angesicht sehen konnten. Im Sündenfall trennte sich der Mensch von Gott. Es ist ein heiliger Gott, der jede Sünde haßt, und somit endete diese ursprüngliche Gemeinschaft. „Gott wohnt in einem Licht, da niemand zukommen kann" (1 Tim 6, 16), darum werden wir ihn erst wieder sehen, wenn wir nach dem Tode in sein Vaterhaus kommen. Der Weg dorthin ist nur durch den Herrn Jesus möglich: „Niemand kommt zum Vater denn durch mich" (Joh 14,6).

FG5: *Ist das ein Gott der Liebe, wenn er all die Not in dieser Welt zuläßt? Warum läßt Gott das Leid zu?*

AG5: Vor dem Sündenfall gab es weder Tod noch Leid, weder Schmerz noch irgendetwas von dem, was uns heute so viel Mühe macht. Gott hatte alles so gestaltet, daß der Mensch unter idealen Bedingungen leben konnte. In freier Entscheidung ging der Mensch eigene Wege, die von Gott wegführten. Warum Gott uns einen so weiten Freiheitsradius zubilligt, können wir nicht erklären. Wir stellen aber fest: Wer von Gott weggeht, gelangt ins Elend. Diese bittere Erfahrung machen wir bis zum heutigen Tag. Manche Menschen sind dazu geneigt, Gott die Schuld zuzuschieben. Dabei sollten wir bedenken, daß nicht Gott, sondern der Mensch der Verursacher ist. Wenn wir des Nachts auf der Autobahn das Scheinwerferlicht ausschalten und es so zu einem Unfall kommt, dürfen wir nicht dem Autohersteller die Schuld geben. Er hat die konstruktiven Vorgaben für die Beleuchtung gegeben; wenn wir sie willentlich abschalten, ist das allein unsere Sache. „Gott ist Licht" (1 Joh 1,5), und wenn wir uns in die Finsternis der Gottesferne begeben, dürfen wir uns nicht bei dem Schöpfer beklagen, der uns doch für seine Nähe geschaffen hat. Gott ist und bleibt ein Gott der Liebe, denn er hat Unvorstellbares getan: Er gab seinen eigenen Sohn dahin, um uns aus unserer selbstverschuldeten Situation freizukaufen. Jesus sagt von sich in Johannes 15,13: „Niemand hat größere Liebe denn die, daß er sein Leben läßt für seine Freunde." Gibt es eine größere Liebe? Nie ist etwas Größeres für den Menschen vollbracht worden als in der Tat auf Golgatha: Das Kreuz ist somit der Höhepunkt göttlicher Liebe.

Wir leben alle – ob gläubig oder ungläubig – in der gefallenen Schöpfung, in der das Leid in all seinen uns wohlbekannten Ausprägungen genereller Bestandteil ist. Nicht deutbar bleibt für uns das individuelle Leid. Warum geht es dem einen gut, und der andere ist durch Not und schwere Krankheit hart geschlagen? Oft muß der Gläubige sogar mehr leiden als der Gottlose, wie es der Psalmist feststellt:

> „Denn es verdroß mich der Ruhmredigen, da ich sah, daß es den Gottlosen so wohl ging. Denn sie sind in keiner Gefahr des Todes, sondern stehen fest wie ein Palast. Sie sind nicht im Unglück wie andere Leute und werden nicht wie andere Menschen geplagt" (Ps 73,3-5).

Er findet aber auch die rechte Einordnung seiner individuellen Not, die er nicht als Strafe für eigene Sünde ansieht. Er hadert nicht mit Gott, sondern klammert sich fest an ihn:

> „Dennoch bleibe ich stets an dir; denn du hältst mich bei deiner rechten Hand, du leitest mich nach deinem Rat und nimmst mich endlich mit Ehren an... Wenn mir gleich Leib

und Seele verschmachtet, so bist du doch, Gott, allezeit meines Herzens Trost und mein Teil" (Ps 73,23-24+26).

FG6: *Hat nicht Gott schuld an allem?*

AG6: Als Gott den Adam nach dem Sündenfall zur Rechenschaft zog, verwies dieser auf Eva: „Die Frau, die du mir zugesellt hast, gab mir von dem Baum" (1 Mo 3,12). Als Gott dann die Frau ansprach, wies auch Eva von sich weg: „Die Schlange betrog mich also, daß ich aß" (1 Mo 3,13). Bezüglich unserer Schuld haben wir ein merkwürdiges Verhalten: Wir weisen immer von uns ab, bis wir letztlich Gott zum Schuldigen erklären. Nun aber geschieht das Unvorstellbare: In Jesus nimmt Gott alle Schuld auf sich: „Denn Gott hat den (= Jesus), der von keiner Sünde wußte, zur Sünde gemacht" (2 Kor 5,21). Das Gericht Gottes über die Sünde der Welt entlädt sich auf den Sohn Gottes. Ihn trifft der Bannstrahl mit voller Schärfe; das ganze Land verfinstert sich für drei Stunden, er ist wirklich von Gott verlassen. „Er hat sich selbst für unsere Sünden gegeben" (Gal 1,4), damit wir frei ausgehen können. Das ist das Manifest der Liebe Gottes. Eine bessere Botschaft als das Evangelium gibt es nicht.

FG7: *Durch Kriege hat Gott zu alttestamentlicher Zeit ein ganzes Volk ausrotten lassen, und in der Bergpredigt heißt es: Liebet eure Feinde. Ist der Gott des AT ein anderer als der des NT?*

AG7: Manche Leute sind der Meinung, im AT sei Gott ein Gott des Zornes und der Rache und im NT ein Gott der Liebe. Diese Auffassung ist durch die beiden folgenden Aussagen aus dem AT und NT leicht zu widerlegen: In Jeremia 31,3 sagt Gott „Ich habe dich je und je geliebt; darum habe ich dich zu mir gezogen aus lauter Güte", und im NT lesen wir bei Hebräer 10,31: „Schrecklich ist's, in die Hände des lebendigen Gottes zu fallen." Gott ist sowohl der zornige Gott gegenüber der Sünde als auch der liebende Gott gegenüber den Bußfertigen. Dieses Zeugnis finden wir sowohl im AT als auch im NT, denn Gott ist immer derselbe. Bei ihm „ist keine Veränderung noch Wechsel des Lichts und der Finsternis" (Jak 1,17). Ebenso hat sich der Sohn Gottes wesensmäßig nie verändert: „Jesus Christus gestern und heute und derselbe auch in Ewigkeit" (Hebr 13,8).

Die Bibel ist voller Beispiele, wie Gott die Sünde an Menschen richtet und wie er andererseits die Seinen bewahrt. In der Sintflut ging die ganze Menschheit wegen ihrer Bosheit unter, und nur acht Leute wurden errettet. Ebenso wird im Endgericht der größte Teil der Menschheit verlorengehen, weil sie den breiten Weg der Verdammnis gingen (Mt 7,13-14). Gott hatte seinem Volk Israel das verheißene Land gegeben, aber beim Auszug aus Ägypten überfallen die Amalekiter die Nachzügler. In 5. Mose 25,17-19 wird den Amalekitern das Gericht der Austilgung angesagt, das Saul zu späterer Zeit auf Befehl Gottes auszuführen hatte (1 Sam 15,3). Zu neutestamentlicher Zeit werden Ananias und Saphira von Gott getötet, weil sie nicht die ganze Wahrheit sagten (Apg 5,1-11). An diesen Beispielen können wir lernen, daß Gott jede Sünde ernster nimmt als wir denken. Auch darin hat sich Gott nie geändert. Er haßt jede Sünde, und er wird jegliche Missetat richten. Er könnte auch heute ganze Völker vernichten. Wir Deutschen haben gegenüber Gott in besonders harter Weise gesündigt, weil in unserem Volk während des Dritten Reiches ein radikales Ausrottungsprogramm gegen sein Volk Israel entwickelt wurde. Die 40jährige Teilung Deutschlands und der Verlust der Ostgebiete sind ein deutliches Gericht dafür. Gott hätte auch das ganze Volk vernichten können, aber seine Barmherzigkeit war so groß, daß er es nicht getan hat; vielleicht auch wegen der immer noch vorhandenen Gläubigen. Sodom und Gomorrha wären nicht untergegangen, hätte es wenigstens zehn Gerechte dort gegeben (1 Mo 18,32). Wenn das Gericht nicht immer augenblicklich stattfindet, ist das Gottes Gnade. Einmal aber muß jeder Rechenschaft geben über sein Leben, sowohl die Gläubigen (2 Kor 5,10) als auch die Ungläubigen (Hebr 9, 27; Offb 20,11-15).

FG8: *Hat Gott das Böse geschaffen?*

AG8: Im ersten Johannesbrief lesen wir, „daß Gott Licht ist, und in ihm ist keine Finsternis" (1,5). Gott ist der absolut Reine und Vollkommene (Mt 5,48), und die Engel bekunden: „Heilig, heilig, heilig ist der Herr Zebaoth" (Jes 6,3). Er ist der „Vater des Lichts" (Jak 1,17), und so kann das Böse niemals von ihm kommen. Die Herkunft des Bösen bringt die Bibel in Zusammenhang mit dem Fall Satans, der einst ein Cherub, ein Lichtengel, war und „gleich dem Allerhöchsten" (Jes 14,14) sein wollte. In Hesekiel 28,15ff ist sein Stolz und Fall beschrieben:

> „Du warst ohne Tadel in deinem Tun von dem Tage an, da du geschaffen wurdest, bis dich deine Missetat gefunden hat. Denn du bist inwendig voll Frevels geworden vor deiner großen Hantierung und hast dich versündigt. Darum will ich dich entheiligen von dem Berge Gottes und will dich ausgebreiteten Cherub aus den feurigen Steinen verstoßen. Und weil sich dein Herz erhebt..., darum will ich dich zu Boden stürzen."

Dadurch, daß das erste Menschenpaar auf die Versuchung einging, gerieten sie selbst unter die Knechtschaft der Sünde. Das Böse hatte somit Eingang in diese Schöpfung gefunden. Offenbar ist dem Satan hierdurch der Herrschaftseinbruch in diese Welt gelungen: „Denn wir haben nicht mit Fleisch und Blut zu kämpfen, sondern mit Mächtigen und Gewaltigen, nämlich mit den Herren der Welt, die in dieser Finsternis herrschen, mit den bösen Geistern unter dem Himmel" (Eph 6,12).

FG9: *Ist Gott lernfähig?*

AG9: Lernen ist definitionsgemäß die Aufnahme unbekannten Wissens. Da Gott alle Dinge weiß (Ps 139,2; Joh 16,30), gibt es für ihn nichts Neues, das er noch lernen könnte. Als Herr über Raum und Zeit ist ihm Vergangenes wie Zukünftiges in gleicher Weise bekannt. Wir hingegen bleiben Lernende. In der Bibel teilt uns Gott in seiner Allwissenheit kommende Ereignisse in prophetischer Schau mit.

FG10: *Hat Jesus wirklich gelebt? Ist er Gottes Sohn?*

AG10: Die Ankündigung des Kommens Jesu in diese Welt gehört zu den markantesten prophetischen Aussagen. In detaillierter Weise sagt das AT seinen Geburtsort Bethlehem (Micha 5,1 → Lk 2,4), seine Abstammungslinie (2 Sam 7,16 → Mt 1,1-17), die gleichzeitige Sohnschaft Gottes (Ps 2,7; 2 Sam 7,14 → Hebr 1,5) und des Menschen (Dan 7,13 → Lk 21,27), sein Wirken (Jes 42,7 → Joh 9), den Grund seiner Sendung (Jes 53,4-5 → Mk 10,45), den Verrat an ihm für 30 Silberlinge (Sach 11,12 → Mt 26,15), sein Leiden und Sterben am Kreuz (Ps 22 → Lk 24,26) sowie seine Auferstehung (Hos 6,2 → Lk 24,46) voraus. Durch den deutlichen Abstand von 400 Jahren zwischen dem letzten Buch des AT und der neutestamentlichen Zeit bekommen die erfüllten Prophetien auf Christus ihr besonders eindrückliches Gewicht hinsichtlich der oben gestellten Frage. Auch außerbiblische Quellen bezeugen das Leben Jesu, wie z. B. der römische Historiker *Tacitus,* der römische Hofbeamte *Sueton* unter dem Kaiser *Hadrian,* der römische Statthalter von Bithynien in Kleinasien, *Thallus* u. a. Beispielhaft sei hier ein Zitat des bekannten jüdischen Geschichtsschreibers *Flavius Josephus* (geb. 37 n. Chr) genannt:

„Um diese Zeit lebte Jesus, ein weiser Mensch, wenn man ihn überhaupt einen Menschen nennen darf. Er war nämlich der Vollbringer ganz unglaublicher Taten und der Lehrer aller Menschen, die mit Freuden die Wahrheit aufnahmen. So zog er viele Juden und auch viele Heiden an sich. Er war der Christus. Und obgleich ihn *Pilatus* auf Betreiben der Vornehmsten unseres Volkes zum Kreuzestod verurteilte, wurden doch seine früheren Anhänger nicht untreu. Denn er erschien ihnen am dritten Tage wieder lebend, wie gottgesagte Propheten dies und tausend andere wunderbare Dinge von ihm vorher verkündigt hatten" (Jüdische Altertümer XVIII.3.3).

Gott selbst bestätigt Jesus als seinen Sohn (bei der Taufe: Mt 3,17; auf dem Berg der Verklärung: Mk 9,7), und der Engel kündigt seine Geburt als *Sohn des Allerhöchsten* an (Lk 1,32). Der Herr Jesus bekennt sich im Verhör vor Pilatus (Mt 26,63-64) und vor Kaiphas (Lk 22,70) als Gottes Sohn, ebenso bezeugen es die unterschiedlichsten Männer und Frauen der Bibel:

- Petrus: „Du bist Christus, des lebendigen Gottes Sohn" (Mt 16,16).
- Johannes: „Wer nun bekennt, daß Jesus Gottes Sohn ist, in dem bleibt Gott und er in Gott" (1 Joh 4,15).
- Paulus: „Ich lebe im Glauben an den Sohn Gottes" (Gal 2,20).
- Martha aus Bethanien: „Ich glaube, daß du bist Christus, der Sohn Gottes, der in die Welt gekommen ist" (Joh 11,27).
- Nathanael: „Rabbi, du bist Gottes Sohn!" (Joh 1,49).
- Der römische Hauptmann bei der Kreuzigung: „Wahrlich, dieser ist Gottes Sohn gewesen" (Mt 27,54).
- Der äthiopische Finanzminister: „Ich glaube, daß Jesus Christus Gottes Sohn ist" (Apg 8,37).

Auch der Teufel weiß um Jesu Sohnschaft Gottes (Mt 4,3+6), und die Dämonen müssen ihn als den Sohn Gottes anerkennen (Mt 8,29).

Daß Jesus der Sohn Gottes ist, war damals den Pharisäern und Hohenpriestern (Mk 14,53-65) und auch dem aufgewiegelten Volk (Joh 19,7) ein Anstoß, und ist bis heute Juden und Moslems ein Dorn im Auge. Er kann aber nicht unser Retter und Heiland sein, wenn er nur „Bruder" *(Schalom Ben Chorin)*, „Sohn unter Söhnen" *(Zahrnt)*, ein guter Mensch oder ein Sozialreformer war, sondern nur dadurch, daß er wirklich der Sohn des lebendigen Gottes ist (Mt 16,16).

FG11: *In welcher Beziehung stehen Gott und Jesus zueinander? Ist das eine Person, oder wer von ihnen ist höher? Zu wem sollen wir beten?*

AG11: Gott ist mit unserem Denken nicht zu erfassen. Er ist überräumlich, überzeitlich und unausforschlich, darum sind uns alle bildhaften Vorstellungen von ihm schon im 1. Gebot untersagt. Gott hat sich dennoch „nicht unbezeugt gelassen" (Apg 14,17); er hat sich uns offenbart. Er ist *der Eine* und zugleich *der Dreieine.*

1. *Gott ist der Eine:* Es gibt keinen anderen Gott als nur den Gott Abrahams, Isaaks und Jakobs (2 Mo 3,6): „Ich bin der Erste, und ich bin der Letzte, und außer mir ist kein Gott" (Jes 44,6). „Vor mir ist kein Gott gemacht, so wird auch nach mir keiner sein. Ich, ich bin der Herr, und ist außer mir kein Heiland" (Jes 43,10-11). Darum lautet das Gebot: „Du sollst keine anderen Götter neben mir haben" (2 Mo 20,3). Die Gottesvorstellungen in allen Religionen sind nichtig: „Denn alle Götter der Völker sind Götzen" (Ps 96,5); sie „sind Wind und eitel" (Jes 41,29).

2. *Gott ist der Dreieine:* Zugleich begegnet uns Gott als Einheit in drei Personen. Es handelt sich nicht um drei verschiedene Götter, sondern – wie es viele Stellen der Bibel belegen (z. B. 1 Kor 12,4-6; Eph 1,17; Hebr 9, 14) – um einen Dreiklang von Willen, Tun und Wesen Gottes. Von diesem dreieinen Gott wird in dreifacher Weise in personaler Differenzierung geredet: – Gott, der Vater – Jesus Christus, der Sohn Gottes – der Heilige Geist. Im Taufbefehl nach Matthäus 28,19 tritt dies am ausdrücklichsten und deutlichsten hervor. Der in der Bibel nirgends vorkommende Ausdruck der „Dreieinigkeit" (Trinität; lat. *trinitas* = Dreizahl) ist der menschliche Versuch, dies göttliche Geheimnis mit einem Wort zu fassen.

In **Jesus** wurde Gott Mensch: „Das Wort ward Fleisch" (Joh 1,14). Gott wurde sichtbar, hörbar, tastbar (1 Joh 1,1) und im Glauben greifbar (Joh 6,69). Den Herrn Jesus hat Gott zu uns gesandt, und „ihn hat Gott für den Glauben hingestellt" (Röm 3,25). So steht Jesus in einer besonderen funktionalen Zuordnung für uns. Den rettenden Glauben haben wir nur, wenn wir an Jesus gläubig sind. Er ist für uns ans Kreuz gegangen, er hat unsere Schuld gesühnt, er hat uns teuer erkauft (1 Petr 1,18), und darum müssen wir ihn anrufen, um gerettet zu werden (Röm 10,13). Durch Jesus haben wir Zugang zum Vater (Joh 14,6) und dürfen als Kinder „Abba, lieber Vater" (Röm 8,15) sagen. Jesus ist der Sohn Gottes, er ist mit dem Vater wesensgleich: „Ich und der Vater sind eins" (Joh 10,30), darum konnte er sagen: „Wer mich sieht, sieht den Vater" (Joh 14, 9). Thomas bekennt gegenüber dem Auferstandenen: „Mein Herr und mein Gott!" (Joh 20,28). Die Gottheit Jesu und die Wesensgleichheit mit dem Vater kommt weiterhin durch folgende gleiche Titel und Tätigkeiten zum Ausdruck: Schöpfer (Jes 40,28 → Joh 1,3), Licht (Jes 60, 19-20 → Joh 8,12), Hirte (Ps 23,1 → Joh 10,11), Erster und Letzter (Jes 41,4 → Off 1,17), Sündenvergeber (Jer 31,34 → Mk 2,5), Schöpfer der Engel (Ps 148,5 → Kol 1,16), Anbetung durch Engel (Ps 148,2 → Hebr 1,6). Die Gleichheit Jesu mit dem Vater betont auch Philipper 2,6. Bei seiner Menschwerdung nahm er die Knechtsgestalt eines Menschen an. Hier stand er in der völligen Abhängigkeit und im Gehorsam zum Vater. Im Zusammenhang mit der Menschwerdung Jesu ist somit eine deutliche Rangfolge zwischen dem Vater und dem Sohn erkennbar: Wie der Mann das Haupt der Frau ist, so ist Gott Christi Haupt (1 Kor 11,3). Nun aber sitzt der Herr Jesus zur Rechten Gottes und ist das Ebenbild seines Wesens (Hebr 1,3). Der Vater hat dem Sohn alle Macht im Himmel und auf Erden gegeben (Mt 28,18), auch das Gericht hat er ihm übereignet (Joh 5,22), denn alles hat er unter seine Füße getan (1 Kor 15,27). Schließlich heißt es: „Wenn aber alles ihm (= Jesus) untertan sein wird, alsdann wird auch der Sohn selbst untertan sein dem, der ihm alles untergetan hat, auf daß Gott sei alles in allem" (1 Kor 15,28).

Der **Heilige Geist** begegnet uns ebenso als göttliche Person, jedoch in anderen Funktionen als der Sohn Gottes. Er ist unser Tröster (Joh 14,26) und Anwalt, er erschließt uns die

Wahrheit der Bibel (Joh 14,17), er vertritt uns vor Gott mit dem rechten Gebet (Röm 8,26), und ohne ihn können wir Jesus als unseren Retter und Herrn (1 Kor 12,3b) überhaupt nicht erkennen.

Gebet: Jesus hat seine Jünger und damit auch uns das Gebet zum Vater gelehrt (Mt 6,9-13), und als der Apostel Johannes vor der Macht des Engels erschrocken zu Boden fällt und ihn anbeten will, wehrt der Bote Gottes entschieden ab: „Ich bin dein Mitknecht ... Bete Gott an!" (Offb 22,9). Ebenso ist das Gebet zu Jesus Christus nicht nur möglich, sondern seit seinem Kommen in diese Welt sogar geboten. Er selbst sagte den Jüngern: „Bisher habt ihr nichts gebeten in meinem Namen" (Joh 16,24), und „Was ihr *mich* bitten werdet in *meinem* Namen, das will ich tun" (Joh 14,14). Kolosser 3,17 faßt all unser Reden und Tun – und damit auch das Gebet zu Christus – zusammen: „Und alles, was ihr tut mit Worten oder mit Werken, das tut alles in dem Namen des Herrn Jesus und danket Gott, dem Vater, durch ihn." Jesus ist der einzige Mittler zwischen Gott und den Menschen (1 Tim 2,5), und darum dürfen wir uns im Gebet an ihn wenden. Der erste Märtyrer, Stephanus, wird uns vorbildhaft als ein Mann „voll heiligen Geistes" (Apg 7,55) geschildert. Sein Gebet zu Jesus ist uns überliefert: „Herr Jesus, nimm meinen Geist auf!" (Apg 7,58). Auch während der Erdenzeit wurde der Herr Jesus als Gott angebetet, und er akzeptierte dies: Der Aussätzige (Mt 8,2), der geheilte Blindgeborene (Joh 9,38) und die Jünger (Mt 14,33) fielen vor ihm nieder. Dies ist nach der Bibel der höchste Ausdruck der Anbetung und Huldigung. Für das Gebet an den Heiligen Geist (z. B. in dem Kirchenlied „Nun bitten wir den Heiligen Geist um den rechten Glauben allermeist" von *Martin Luther*) finden wir in der Bibel jedoch keinen Hinweis.

Der folgende Fragenkomplex, bei dem es um die Gültigkeit und Verbindlichkeit der Bibel geht, ist von sehr grundlegender Art. Aus diesem Grunde werden in diesem Kapitel nur vier Fragen behandelt und – dem Gewicht dieser Thematik entsprechend – wird ein sehr ausführlicher Anhang angefügt.

FB1: *Die Bibel ist doch von Menschen aufgeschrieben worden, darum ist alles relativ zu sehen. Wie können Sie sagen, daß sie von Gott ist und daß alles wahr ist?*

AB1: Wir wollen hier die Frage nach der biblischen Wahrheit an einem ausgewählten Beispiel zeigen, das den Vorteil hat, mathematisch nachvollziehbar zu sein. Die Bibel enthält 6408 Verse mit prophetischen Angaben, von denen sich 3268 bisher so erfüllt haben, während die restlichen Prophetien noch zukünftige Ereignisse betreffen. Keine Voraussage ist verändert eingetroffen. Das gibt es in keinem anderen Buch der Weltgeschichte. Hier haben wir einen – auch mathematisch ausdrückbaren – Wahrheitsgehalt vor uns, der nirgends seinesgleichen hat. Wir wollen nun die Frage stellen, ob es möglich ist, daß sich so viele Prophetien zufällig erfüllen können, d. h., ob ihr Eintreffen ohne das Wirken Gottes erklärbar ist. Dazu werden wir uns nun der Wahrscheinlichkeitsrechnung bedienen. In dem folgenden Berechnungsmodell wird nicht berücksichtigt, daß manchmal mehrere Verse der Bibel dazu dienen, eine einzige Prophetie zu beschreiben und zum anderen ein Vers auch mehrere Prophetien enthalten kann. Ebenso geht der Tatbestand, daß manche prophetische Aussage mehrfach erwähnt wird, nicht in die Rechnung ein. Diese Modellvereinfachung wird jedoch durch den folgenden Ansatz für die Grundwahrscheinlichkeit bei weitem ausgeglichen.

Nimmt man die sehr hohe Grundwahrscheinlichkeit von $p = 0,5$ für die *zufällige* Erfüllung einer Einzelprophetie an, so läßt sich die Gesamtwahrscheinlichkeit w für die 3268 bisher erfüllten Prophetien mathematisch exakt errechnen. Diese beträgt $w = 2^{-3268} = 1{,}714 \cdot 10^{-984}$. Die prophetischen Aussagen sind derart, daß das Eintreten des jeweilig beschriebenen Ereignisses mathematisch mit 1 : 1000 bis 1 zu mehreren Millionen anzusetzen wäre. Mit dem Ansatz 1 : 2 (= 0,5) liegen wir damit auf der absolut sicheren Seite. Zum Zahlenvergleich für w wollen wir einige ausgedachte Lottosysteme betrachten. Wenn die Wahrscheinlichkeit für einen Volltreffer im kommerziellen Zahlenlotto „6 aus 49" – d. h. aus 49 Feldern mit fortlaufender Numerierung – etwa 1 : 14 Millionen beträgt, so wollen wir die Frage stellen: Auf wieviel Felder dürfte ein zweiter Lottoschein erweitert werden, bei dem ebenfalls 6 richtige Zahlen für einen Volltreffer zu benennen sind, um gerade auf jene Wahrscheinlichkeit zu kommen, die sich für die zufällige Erfüllung von 3268 Prophetien ergäbe? Was würden wir schätzen?

a) die Größe einer Tischtennisplatte?
    Auf einer Fläche von $A = 1{,}525 \times 2{,}74$ m^2 = 4,1785 m^2
    sind $L = 167\,140$ Einzelfelder von der Größe, wie sie auf
    einem handelsüblichen Lottoschein anzutreffen sind, möglich.
b) die Größe eines Fußballfeldes?
    Bei $A = 7350$ m^2 sind $L = 459\,375\,000$ Einzelfelder möglich.
c) oder gar die Oberfläche der gesamten Erdkugel?
    Bei $A = 510$ Mill. km^2 sind $L = 31{,}3653 \cdot 10^{18}$ Einzelfelder möglich, wobei 10^{18} eine Trillion oder eine Million Billiarden bedeutet.

Rechnet man die Wahrscheinlichkeiten aus, um bei L durchnumerierten Feldern sechs Richtige zu ziehen, so ergeben sich für die obigen Flächen folgende Werte:

a) $w = 1 : 0{,}4 \cdot 10^{30}$ (bzw. $2{,}5 \cdot 10^{-30}$)
b) $w = 1 : 1{,}3 \cdot 10^{49}$ (bzw. $7{,}69 \cdot 10^{-50}$)
c) $w = 1 : 1{,}3 \cdot 10^{114}$ (bzw. $7{,}69 \cdot 10^{-115}$)

Wir sehen an Hand der Zahlen für *w*, daß die Vergleiche a) bis c) völlig unzureichend sind. Das mathematische Ergebnis für die Felderzahl ist geradezu atemberaubend! Wir müßten zu ihrem Größenvergleich die Gesamtzahl aller Atome des Universums zu Hilfe nehmen, und diese ist mit 10^{80} selbst nicht mehr vorstellbar. Es ist eine 1 mit 80 Nullen oder die Zahl 10 Milliarden achtmal mit sich selbst multipliziert. Auf die errechnete transastronomische Zahl von $2,74 \cdot 10^{164}$ Feldern jenes Superlottoscheins kommt man allerdings erst durch einen weiteren, unsere Vorstellungen noch einmal übersteigenden Vergleich: Stellt man sich so viele Universen gleicher Größe vor wie unser Universum Atome hat, dann ist die Gesamtzahl der Atome aller dieser gedachten Universen immer noch um den Faktor 27 400 kleiner als der benötigte Lottoschein Felder haben dürfte [G1, 139].

Nach den obigen Betrachtungen können wir nur *eine* vertretbare Konsequenz ziehen: Die Prophetien sind göttlicher Art, sie können von keinem Menschen stammen. So führen uns die Berechnungen zu einem Ergebnis, das Jesus in dem bekannten Gebet zum Vater (oft fälschlicherweise als „Hohepriesterliches Gebet" bezeichnet, obwohl es sich hier nicht um einen hohepriesterlichen Dienst, d. h. Sühnung der Sünden des Volkes, handelt) auf die knappe Formel bringt: „Dein Wort ist die Wahrheit!" (Joh 17,17). Die Bibel kann somit nicht von menschlicher Herkunft sein, sondern es gilt: „alle Schrift ist von Gott eingegeben" (2 Tim 3,16). Gott benutzte auserwählte Menschen, denen er die für uns wichtige Information gab, damit sie diese – ohne dabei ihre Person, ihr Wesen und ihre Empfindungen auszuklammern – für uns aufschrieben. Weiteres zu dieser Frage ist in drei Unterkapiteln im Anhang „Basissätze zur Bibel" zu finden: I.1 Zu ihrer Herkunft; I.2 Zu ihrem Wahrheitsgehalt; I.3 Zur Prüfung ihrer Wahrheit.

FB2: *Wie kann ich prüfen, ob die Bibel wahr ist?*

AB2: Ob ein mathematisch formulierter physikalischer Ablauf oder eine beschriebene chemische Reaktion unter definierten

Bedingungen stattfindet oder nicht, kann nicht in einer Diskussionsrunde entschieden werden, sondern im prüfbaren Experiment. Im Gegensatz zu allen anderen Schriften der Ideologien und Religionen nennt die Bibel Methoden, wie ihre Wahrheit durch Experiment ermittelt werden kann. Wer nicht nur philosophierend fragt, sondern zu einer echten Überzeugung kommen will, ist zu einem Experiment eingeladen, für das sich Gott selbst verbürgt:

> „Und laß das Buch dieses Gesetzes nicht von deinem Munde kommen, sondern betrachte es Tag und Nacht, auf daß du haltest und tuest allerdinge nach dem, was darin geschrieben steht. Alsdann wird es dir gelingen in allem, was du tust, und wirst weise handeln können" (Jos 1,8).

Dieses Experiment besteht danach aus drei Teilschritten:

1. *Experimentbeschreibung kennenlernen:* Zunächst geht es darum, sich durch intensives Lesen mit dem Inhalt der Bibel vertraut zu machen.
2. *Ausführung des Experiments:* Im zweiten Schritt sind alle erkannten Anweisungen in die Tat umzusetzen.
3. *Prüfung der experimentellen Daten:* Alle Menschen wünschen sich ein gelungenes Leben in Ehe und Familie, Beruf und Freizeit. Die Fragen an die Ratgeber in der Regenbogenpresse legen ein beredtes Zeugnis davon ab. Kein psychologischer Eheberater, kein Industriemanager und kein politischer Berater verfügt über ein absolutes Erfolgsrezept. Nur die Bibel verspricht unter den obigen Bedingungen Gelingen und weises Handeln.

Wer dieses Experiment durchführt, kommt immer zu einer positiven Bilanz. Es gibt weder Verlust noch Risiko, also keinen verlorenen Einsatz wie beim Lottospiel oder Zinsverlust wie bei Krediten. Wer es mit der Bibel wagt, hat es mit Gott zu tun, und wird dadurch einen großen Gewinn haben. (Weitere Prüfmöglichkeiten sind im Anhang „Anmerkungen zur Bibel", Teil I.2 „Zum Wahrheitsgehalt der Bibel" aufgeführt.)

FB3: *Was ist an der Bibel anders als bei allen sonstigen Büchern der Weltliteratur?*

AB3: Die Bibel unterscheidet sich in mehrfacher Hinsicht grundlegend von allen sonstigen Büchern der Weltgeschichte, so daß sie ein einzigartiges, einmaliges und unvergleichliches Werk darstellt:

1. *Trotz über 1000jähriger Entstehungsdauer weist die Bibel eine einzigartige Kontinuität auf:* Die Bibel wurde in einer Zeitspanne von über 1500 Jahren von etwa 45 Schreibern unterschiedlicher Herkunft und Berufe geschrieben. Hierzu gehören z. B. der Universitätsabsolvent Mose, der militärische Oberbefehlshaber Josua, der Ministerpräsident Daniel, der Mundschenk Nehemia, der König David, der Hirte Amos, der Fischer Petrus, der Zöllner Matthäus, der Arzt Lukas und der Zeltmacher Paulus. Die Bibelteile entstanden mitunter an ungewöhnlichen Orten, wie in der Wüste (Mose), im Kerker (Jeremia), im Palast (Daniel), auf Reisen (Lukas) oder in der Verbannung (Johannes) und bei allen nur denkbaren Gemütsverfassungen der Schreiber, wie Freude und Liebe, Angst und Sorge, Not und Verzweiflung. Trotz der sonst nirgends anzutreffenden Spannweite von 60 Generationen hinsichtlich ihrer zeitlichen Entstehung und der unterschiedlichen Gesellschaftsschichten ihrer Autoren ist die Bibel von einer einheitlichen, fein aufeinander abgestimmten Thematik. Die Schreiber behandeln Hunderte von Themen mit besonders auffälliger Harmonie und Kontinuität. Würden Menschen ohne das Wirken Gottes aus so weit entlegenen Zeitepochen und mit so divergierenden Persönlichkeitsstrukturen eine solche Themenspanne bearbeiten, so wäre erfahrungsgemäß keine Einheit zu erwarten. Insbesondere zieht sich die biblische Lehre über Gott sowie seine Heilsgeschichte mit den Menschen wie ein roter Faden durch die ganze Bibel.

2. *Die Bibel enthält eine so weite Palette literarischer Gattungen wie sie in keinem anderen Buch anzutreffen ist* (siehe Satz B58 im Anhang, Teil I). Hingegen fehlen diejenigen Textarten, die nicht der Wahrheit verpflichtet sind wie z. B. Märchen, Legende und Sage. Ebensowenig findet man solche Über- oder Untertreibungen, wie wir sie von Satiren, Glossen, Heldenreden oder Komödien kennen.

3. *Die Bibel ist von einer beachtenswerten Vielseitigkeit geprägt.* Sie ist zugleich Glaubens-, Gesetz- und Geschichtsbuch. Sie liefert die Grundlagen zahlreicher Wissensgebiete und enthält tausenderlei Lebensregeln für die verschiedensten Situationen. Sie ist der beste Eheberater und beschreibt, wie wir uns zu Eltern und Kindern, zu Freunden und Feinden, zu Nachbarn und Verwandten, zu Fremden, zu Gästen und Glaubensgenossen verhalten sollen (ausführlicher in Frage FL3 behandelt). Sie spricht über die Herkunft dieser Welt und allen Lebens, über das Wesen des Todes und über das Ende der Welt. Sie zeigt uns das Wesen Gottes, des Vaters, seines Sohnes Jesus Christus und die Wirkungen des Heiligen Geistes.

4. *Die Bibel ist das einzige Buch mit ausschließlich zuverlässigen prophetischen Aussagen.* Diese sind göttlichen Ursprungs (1 Sam 9,9; 2 Sam 24,11; 2 Petr 1,20-21) und darum auch in keinem anderen Buch der Weltgeschichte zu finden (auch nicht im Koran oder in den Aufzeichnungen des französischen Okkultisten *Nostradamus*). Die Zeitspannen zwischen Niederschrift und Erfüllung sind so groß, daß auch strengste Kritiker nicht einwenden könnten, die Prophetien seien erst gegeben, nachdem die Ereignisse schon eingetreten waren (ausführlicher in [G1, 118-148]).

5. *Der zeitliche Aussagerahmen der Bibel findet nirgends seinesgleichen:* Die Bibel erstreckt sich in ihren Aussagen vom Anfangspunkt der physikalischen Zeitachse (Schöpfung) bis zu ihrem Endpunkt (Offb 10,6b) hin. Kein sonstiges Buch vermittelt etwas Gewisses über den Beginn der Zeit und vermag die Ereignisse um den Endpunkt der Zeitachse zu beschreiben. Darüber hinaus spricht die Bibel von der Ewigkeit, jener Wirklichkeit, in der unsere einengenden Zeitgesetze keine Gültigkeit mehr haben.

6. *Keine Aussage der Bibel hat sich als falsch erwiesen.* Nie mußten wissenschaftliche Bezüge der Bibel aufgrund von Forschungsergebnissen revidiert werden. Hingegen gibt es zahlreiche Beispiele dafür, daß naturwissenschaftliche Beschreibungen in der Bibel erst etliche Jahrhunderte nach ihrer Niederschrift durch die Forschung bestätigt wurden (z. B. Zahl der Sterne: [G1, 58-59]; Gestalt der Erde: [G1, 59-60]).

7. *Kein sonstiges Buch beschreibt den Menschen so realistisch wie die Bibel.* Es gibt keine komödienhaften Übertreibungen, keine retuschierten Biographien und kein glorifizierendes Heldentum, das die negativen Seiten der Menschen verbirgt oder verschleiert. So bleiben in der Bibel die Sünden der Erzväter (1 Mo 12,11-13), der Ehebruch Davids (2 Sam 11) und die Unordnung in den Gemeinden (1 Kor 1,11; 2 Kor 2,1-4) nicht unerwähnt.

8. *Wie kein anderes Buch erfaßt die Bibel zukünftige Erscheinungen, die bei damaligem Wissensstand kein Mensch erahnen konnte* (z. B. Spacelabs, Orbitalstationen: Ob 4) und schließt in ihre Lehre Situationen ein, die erst viele Jahrhunderte später aufgetreten sind (z. B. Drogenkonsum: 2 Kor 6, 16-17; Gentechnologie: siehe Frage FL10).

Schon diese acht genannten Besonderheiten weisen die Bibel als ein herausragendes Buch aus, dem kein anderes auch nur annähernd vergleichbar wäre. Der Historiker *Philip Schaff* beschreibt die Einzigartigkeit der Schrift und den, über den sie spricht, sehr treffend:

> „Dieser Jesus von Nazareth besiegte ohne Geld und Waffen mehr Millionen Menschen als *Alexander, Cäsar, Mohammed* und *Napoleon*; ohne Wissenschaft und Gelehrsamkeit warf er mehr Licht auf göttliche und menschliche Dinge als alle Philosophen und Gelehrten zusammen; ohne rhetorische Kunstfertigkeit sprach er Worte des Lebens, wie sie nie zuvor oder seither gesprochen wurden und erzielte eine Wirkung wie kein anderer Redner oder Dichter. Ohne selbst eine einzige Zeile zu schreiben, setzte er mehr Federn in Bewegung und lieferte Stoff für mehr Predigten, Reden, Diskussionen, Lehrwerke, Kunstwerke

und Lobgesänge als das gesamte Heer großer Männer der Antike und Moderne" (*J. McDowell:* Bibel im Test, S.54).

Wenn auch die Bibel hinsichtlich der Zahl ihrer Wörter und Buchstaben exakt erfaßbar ist (z. B. englische *King James Version:* 783 137 W. und 3 566 489 B.), so ist doch die Fülle ihrer Gedanken unzählbar. Kein Menschenleben reicht aus, um den kompletten Gedankenschatz zu heben (Ps 119,162). Die Bibel können wir darum als einziges Buch beliebig oft lesen, ohne daß sie langweilig wird. Mit jedem Lesen erschließen sich neue Gedankengänge und Querverbindungen zu anderen Texten. *Wir kommen zu einer wichtigen Schlußfolgerung:* Die Bibel ist das einzige göttliche Buch. Ihre Wahrheit ist von Gott verbürgt und autorisiert (Ps 119,160; Joh 17,17).

FB4: *Gibt es heute noch neue Botschaften als Ergänzung zur Bibel? Ist Gott nicht größer als die Schrift, um direkt zu jemandem zu reden?*

AB4: Wir müssen zwei Redeweisen Gottes unterscheiden: die für alle Menschen in gleichem Maße gültige Bibel und die individuelle Führung Gottes im Leben des einzelnen.

1. *Ergänzungen zur Bibel?* Parallel mit der Entstehung der biblischen Schriften durch von Gott berufene und von ihm autorisierte Männer (z. B. Jer 1,5; Gal 1,12) treten auch falsche Propheten mit eigenmächtigen Botschaften auf. Auf die auch uns bewegende Frage „Wie kann ich merken, welches Wort der Herr nicht geredet hat?" (5 Mo 18,21) gibt Gott als Antwort ein entscheidendes Kriterium zur Prüfung der Wahrheit:

> „Wenn der Prophet redet in dem Namen des Herrn, und es wird nichts daraus und es kommt nicht; das ist das Wort, das der Herr nicht geredet hat; der Prophet hat's aus Vermessenheit geredet" (5 Mo 18,22).

Auch in der Bergpredigt warnt Jesus vor den falschen Propheten und nennt uns ebenso die Kennzeichen ihrer Identifizierung:

„Sehet euch vor vor den falschen Propheten, die in Schafskleidern zu euch kommen, inwendig aber sind sie reißende Wölfe. An ihren Früchten sollt ihr sie erkennen. Kann man auch Trauben lesen von den Dornen oder Feigen von den Disteln?" (Mt 7,15-16).

Der Apostel Johannes weist nicht minder eindringlich auf die Gefahr hin: „Viele Verführer sind in die Welt hinausgegangen ... Wer weitergeht und bleibt nicht in der Lehre Christi, der hat Gott nicht" (2 Joh 7+9).

Nur die Bibel ist von Gott offenbart. Im letzten hat Gott durch seinen Sohn geredet (Hebr 1,1), und es wird nun keine zusätzlichen Offenbarungen mehr geben (Offb 22,18). Dem Wort der Bibel ist danach nichts mehr hinzuzufügen. Schon Petrus warnt zu seiner Zeit vor „verderblichen Sekten" (2 Petr 2,1), die mit eigenen Lehren die Menschen zur Verdammnis führen. Die Zutaten und Entstellungen der Bibel von *Joseph Smith* (Buch Mormon der Mormonen) *Jakob Lorbeer* (Freunde der Neuoffenbarung), *Ch. T. Russel* (Jehovas Zeugen), *M. Baker Eddy* (Christliche Wissenschaft) u. a. sind keine göttlichen Botschaften, sondern bedauerliche Irrwege falscher Lehrer und Verführer. Gott gibt keine zusätzliche Offenbarungen, sondern nur neues Licht über das, was er uns schon längst im AT und NT mitgeteilt hat. So bleibt die Bibel die einzige verbindliche Informationsquelle und die alleinige Meßlatte, an der alles zu prüfen ist. Auch Zitate heutiger Zeitgenossen mit der einleitenden Autorisierungsformel „Der Herr hat mir gesagt... " bedürfen wegen des oben Dargelegten einer strengen Prüfung.

2. *Individuelle Führung Gottes:* Oft wünschten wir uns ein direktes Reden Gottes in einer bestimmten Situation. Gott könnte es tun, aber es ist nicht seine Methode. *Martin Luther, John Wesley, Hudson Taylor* oder *Billy Graham* waren bzw. sind bedeutende Gottesmänner und haben Außergewöhnliches ausgerichtet. Sie haben sich auf Gottes Wort berufen und empfingen von dort Impulse ihres segensreichen Wirkens. Unser Gebet „Weise mir, Herr, deinen Weg" (Ps 86,11) erbittet Gottes Handeln in unserem Leben. Das ist erfahrbar und erst im Nachhinein eindeutig als Wirken Gottes erkennbar, aber es geschieht lautlos ohne hörbare Stimme Gottes.

3. Fragen bezüglich Schöpfung, Wissenschaft und Glaube (FS)

FS1: *Gibt es einen Übergang von unbelebter Materie zu lebendigen Organismen?*

AS1: Die frühere scharfe Trennung zwischen anorganischer und organischer Chemie hatte einen gewichtigen Grund: In der unbeeinflußten Natur entstehen organische Verbindungen nur durch Aktivität der Organismen. Mit dem Tod des Organismus setzt der umgekehrte Prozeß ein: Die organischen Stoffe zerfallen in ihre anorganischen Bestandteile. Als der Chemiker *F. Wöhler* 1828 das eindeutig anorganische Ammoniumcyanat in die organische Verbindung Harnstoff umwandelte, war dieser grundsätzliche Unterschied nicht mehr gegeben. Durch zielstrebige und planvolle Tätigkeit ist man heute in der Lage, zahlreiche organische Verbindungen zu synthetisieren. Unabdingbar ist dabei die Kenntnis von Chemie und Verfahrenstechnik, kurz: der Einsatz von Geist. Betrachten wir nun die Lebewesen, so stellen wir fest, daß es auf der physikalisch-chemischen Ebene in Pflanzen und Tieren und beim Menschen keine Prozesse gibt, die den physikalischen und chemischen Vorgängen außerhalb lebender Organismen widersprechen. Die bekannten Naturgesetze haben auch hier ihre volle Gültigkeit. Zwischen unbelebter Materie und der Materie in Lebewesen gibt es somit keinen prinzipiellen Unterschied auf der Ebene von Chemie und Physik. Die neodarwinistischen Ansätze über die Entstehung erster Lebewesen in der Ursuppenatmosphäre gehen über diese Erkenntnis hinaus und behaupten, daß es einen verhältnismäßig glatten und unproblematischen Übergang von unbelebter Materie zu lebenden Organismen gibt. Ein lebendiger Organismus darf aber nicht verwechselt werden mit Materie in Lebewesen. Die Gesamterscheinung des Organismus wird nicht angemessen verstanden, wenn man sie nur unter dem Gesichtspunkt der isolierten Erklärbarkeit ihrer einzelnen Teile betrachtet. Organismen enthalten als wichtige Zutat **Information**, jene geistige

Größe, die die Materie nicht von selbst erzeugen kann. Sie ist dafür verantwortlich, daß jedes Lebewesen auf eine bestimmte Gestalt hinstrebt und in der Lage ist, sich zu vermehren. In der unbelebten Natur gibt es das Prinzip Vermehrung (Reproduktion aufgrund eingeprägter Information) nicht. *Information wird damit zum kennzeichnenden Kriterium, um einen lebenden Organismus von unbelebter Materie deutlich zu unterscheiden.* Ebenso hat die Entstehung einer individuellen Gestalt – im Gegensatz zur Kristallbildung – nichts mit einer physikalisch-chemisch bedingten Strukturgesetzlichkeit zu tun. Bei dem Phänomen *Leben* handelt es sich um eine Qualität, die jenseits von Physik und Chemie liegt. Gerade die sog. Evolutionsexperimente, die die Entstehung des Lebens als ein rein physikalisch-chemisches Phänomen belegen sollten, bestätigen unsere Aussage: *Niemals kann Information in einem physikalisch-chemischen Experiment entstehen!"*

- Bei den vielzitierten *Miller*-Experimenten konnten einige Aminosäuren, die Grundbausteine der Proteine, synthetisiert werden; Information ist jedoch nie entstanden. Damit liegt dieser Versuch außerhalb dessen, was man als Evolutionsexperiment bezeichnen könnte.

- Der von *M. Eigen* entworfene Hyperzyklus ist ein reines Gedankenexperiment ohne jegliche experimentelle Bestätigung (ausführlicher in [G4, 153-155]). Mit Hilfe von sog. „Evolutionsmaschinen" will *Eigen* die Evolution in den Stand des Experimentellen versetzen. Gegenüber „Bild der Wissenschaft" (H. 8, 1988, S. 72) sagte er: „In einer unserer Maschinen haben wir Bakterienviren evolieren lassen ... Dieses Projekt hatte bereits Erfolg. In nur drei Tagen konnten wir eine Mutante isolieren, die die entsprechende Resistenz aufwies. Das Beispiel zeigt, daß es möglich ist, den Evolutionsprozeß im Labor nachzuahmen." Solche Aussagen erwecken den Eindruck, als wäre hier ein Evolutionsexperiment gelungen. In Wirklichkeit wurde von *bereits vorhandenen* Lebewesen ausgegangen. Auch hier ist keine neue Information entstanden, sondern mit vorliegender werden Versuche ausgeführt, die somit keine Aussage über die Entstehung von Information liefern.

Es gilt als bedeutsames Faktum festzuhalten: *In keinem Laboratorium der Welt ist es je gelungen, aus unbelebten organischen Stoffen lebendige Organismen „herzustellen".* Dies ist um so beachtenswerter, als die Biotechnik mit dem Lebendigen zahlreiche Manipulationsmöglichkeiten entwickelt hat. Bezeichnenderweise setzt Biotechnik immer bereits bei Lebendigem ein und versucht es lediglich zu manipulieren. Offenbar ist die Kluft zwischen chemotechnischen Verfahren und der Biotechnik unüberwindbar. Ja, selbst wenn es eines Tages nach unermüdlicher Forschertätigkeit und Einsatz aller Kenntnisse möglich sein sollte, würde damit bewiesen: Leben ist nur durch Einsatz von Geist und Schöpfertätigkeit erklärbar.

FS2: *Wie alt ist die Erde, wie alt das Universum? Gibt es eine wissenschaftliche Methode zur Ermittlung des Erdalters? Was halten Sie von der C14-Methode?*

AS2: Bisher ist keine physikalische Methode bekannt, um das Alter der Erde oder des Universums zu ermitteln. Warum nicht? Es gibt in der Natur keine Uhr (in Form eines zeitanzeigenden Ereignisses), die seit der Schöpfung der Welt mitläuft. Der radioaktive Zerfall instabiler Atome scheint auf den ersten Blick als Uhr in Frage zu kommen. Jedes instabile Isotop eines chemischen Elementes hat eine ihm eigene Halbwertszeit. Diese ist jener Zeitraum T, innerhalb dessen die jeweils vorhandene Anzahl von Atomen durch radioaktiven Zerfall auf die Hälfte abnimmt. Von den in der Natur vorkommenden 320 Isotopen sind über 40 als radioaktiv bekannt. Bei der radiometrischen Altersbestimmung geht man von diesem physikalischen Effekt aus. Es wird unterschieden zwischen den *Langzeituhren*

Uran/Thorium-Blei-Uhren: $T = 4{,}47 \cdot 10^9$ Jahre   bei Uran-238 (^{238}U)

Kalium-Argon-Uhr: $T = 1,31 \cdot 10^9$ Jahre bei Kalium-40 (^{40}K)

Rubidium-Strontium-Uhr: $T = 48,8 \cdot 10^9$ Jahre bei Rubidium-87 (^{87}Rb)

und der *Kurzzeituhr* ^{14}C (gesprochen: C-14) mit $T = 5730$ Jahren.

Bei der mathematischen Behandlung der physikalischen Zerfallsgleichungen hat man allerdings immer eine Gleichung weniger zur Verfügung als das System Unbekannte enthält. Ein solches System ist mathematisch prinzipiell unlösbar. Das bedeutet physikalisch: Die Ausgangsmenge des Zerfallsmaterials ist unbekannt, denn niemand weiß, wieviel instabile Atome zum Entstehungszeitpunkt vorhanden waren. Daneben gibt es noch die sog. *Isochronenmethode,* die die Kenntnis der Anfangsmenge dadurch zu umgehen sucht, daß nur kongenetische Proben verwendet werden dürfen. Die Ungewißheit verlagert sich hier darauf, daß es keine a-priori-Kriterien dafür gibt, ob eine Probe zu einer kongenetischen Gesamtheit gehört.

Etwas anders liegt der Fall bei der ^{14}C-Methode. Hier kann der Anfangswert mit Hilfe der Dendrochronologie (Abzählung von Baumringen) bestimmt werden. Da die ältesten Bäume etwa 5000 Jahre alt sind, läßt sich zugehörig zu jedem Jahresring die Anfangsmenge zu dem entsprechenden Alter errechnen. Die älteste bekannte noch existierende Pflanze ist mit 4915 Jahren (von 1989 aus betrachtet) die knorrige Borstenkiefer in Nevada. Über die Anzahl der Baumringe gewinnt man eine Eichkurve, die es nun erlaubt, auch das Alter einer Probe mit unbekanntem Alter durch Vergleich zu ermitteln. Die ^{14}C-Methode ist nur auf wenige Jahrtausende anwendbar. Die im Rahmen der Evolutionslehre genannten Jahrmillionen beruhen nicht auf exakten physikalischen Messungen, sondern gründen sich auf die sog. „Geologische Zeitskala", die davon ausgeht, daß die Zeitdauer jeder geologischen Formation proportional ihrer größten auf der Erde gefundenen Schichtdicke ist. Diese Theorie setzt voraus, daß für alle Formationen die maximale Ablagerungsgeschwindigkeit immer beständig und lückenlos dieselbe gewesen ist. Auch unter evolutiven Gesichtspunkten ist diese Annahme nicht haltbar. Wieviel weniger gelten sie aber unter Einbeziehung der weltweiten Sintflut!

Halten wir fest: Physikalische Größen (wie z. B. die Zeit) sind nur dann absolut meßbar, wenn bei einem Vorgang ein physikalischer Effekt quantitativ ermittelt wird und dieser Meßwert mit Hilfe eines Eichmaßes (Eichkurve oder geeichte Skala) einer Anzahl definierter Einheiten zugeordnet wird. Taucht man ein Quecksilberthermometer ohne Temperaturskala in heißes Wasser, so dehnt sich zwar der Quecksilberfaden aus, aber die absolute Temperatur kann nicht angegeben werden. Erst eine Vergleichsmessung mit einem geeichten Thermometer gäbe uns den wahren Wert der Messung an. Bei den radiometrischen Langzeituhren fehlt das „geeichte Gerät" (z. B. in Form eines natürlichen Vorganges, an dem Zeitspannen ablesbar wären).

Die älteste *belegbare* Profangeschichte beginnt in Vorderasien und Ägypten etwa 3000 v. Chr. (Bemerkenswerterweise stimmt diese Zeitspanne mit dem Alter der ältesten Bäume überein!). Den weitesten geschichtlichen Rückgriff finden wir zweifelsohne in der Bibel. Dieser reicht bis zu dem ersten von Gott erschaffenen Menschenpaar. Die konsequente Aufzeichnung der Genealogien liefert uns den einzigen ermittelbaren und verläßlichen Zeitrahmen seit der Schöpfung. Selbst wenn man die Stammbaumaufzeichnungen nicht als lückenlos ansieht, kommt man auf ein Erdalter von etlichen Jahrtausenden, keineswegs aber auf die evolutionär angenommenen Jahrmillionen. Das Alter der Erde, des Universums und der Beginn der Menschheit stimmen bis auf den Unterschied der Schöpfungstage überein.

FS3: *Wie kommt es, daß bei einem jungen Universum das Licht von Objekten, die Millionen von Lichtjahren von uns entfernt sind, die Erde bereits erreichen konnte? Müßte man da nicht eher ein Alter annehmen, das mindestens der Zeit entspricht, die ein Lichtstrahl unterwegs gewesen sein muß, um von dort zu uns zu gelangen?*

AS3: Die in der obigen Frage enthaltenen Aussagen sind Folgerungen, die wir korrekt aus der *jetzigen* Situation schließen: Das Licht hat mit seinen 300 000 km/s (der exakte Wert mit ausschließlich Nullen nach dem Komma wurde auf der 17. Generalkonferenz für Maß und Gewicht 1983 mit 299 792 458 m/s definiert) zwar eine sehr hohe, aber dennoch begrenzte Ausbreitungsgeschwindigkeit. Jeder Stern, den wir *jetzt* sehen, informiert uns daher nicht über seine gegenwärtige Existenz, sondern über eine Vergangenheit, als deren Zeuge seine Lichtstrahlen augenblicklich bei uns eintreffen. Eine (unerlaubte!) Schlußfolgerung lautet darum: Da es Sterne gibt, die mehrere Milliarden Lichtjahre entfernt sind, müßten diese doch mindestens ebenso viele Milliarden Jahre alt sein. Zur Klärung dieser Denkweise sind zwei Fakten von ausschlaggebender Bedeutung:

1. *Entfernung statt Zeit:* Das Lichtjahr ist ebenso wie das Meter kein Zeitmaß, sondern ein Entfernungsmaß! Ein Lichtjahr entspricht der Entfernung von 9,46 Billionen Kilometern. Diese Strecke durchläuft das Licht in einem Jahr. (Ebenso kann man die Zeit angeben, die das Licht für das Durchlaufen der Strecke von einem Meter benötigt. Sie beträgt 1/299 792 458 Sekunden. Die frühere Definition des Meters über Wellenlängen ist übrigens durch diese Laufzeitdefinition des Lichtes abgelöst worden.) Haben zwei Objekte A und B den Abstand *a* voneinander, so kann bei alleiniger Kenntnis der Distanz noch nichts über ihren sonstigen Zustand (z. B. Alter) gesagt werden.

2. *Schöpfungsdenken:* Die ungehinderte gedankliche Koppelung von Entfernung an Zeit ist eine Folge des Evolutionsdenkens, bei dem beliebig viel Zeit für die Vergangenheit wie auch für die Zukunft angesetzt wird. Nach biblischer Sicht hat die Zeitachse jedoch einen definierbaren Anfangspunkt, der mit dem ersten Vers der Bibel markiert ist und der einige Jahrtausende (nicht Jahrmillionen!) zurückliegt. Eine Weiterverlängerung der Zeitachse über diese Anfangsmarke hinaus ist darum physikalisch nicht statthaft. Läßt jemand dieses Faktum außer acht, so befindet er sich in derselben Lage wie einer, der seine eigene Existenz über den Zeitpunkt der Zeugung noch weiter vorverlegt. Um die gestellte Frage weiter zu prüfen, gehen wir mit dem obigen Denkansatz in die Schöpfungswoche hinein. Am vierten Schöpfungstag wurden die Sterne geschaffen (1 Mo 1,14-16). Nach Abschluß der Schöpfung wäre nach obigem Einwand am Himmel kein einziger Stern zu sehen gewesen. Der erdnächste Stern, der α-Centauri, ist 4,3 Lichtjahre von der Erde entfernt. Somit wäre er 4,3 Jahre nach der Schöpfung erstmals von der Erde aus sichtbar gewesen. Als nächster Stern käme dann 1,6 Jahre später Barnards Pfeilstern (Entfernung 5,9 Lichtjahre) hinzu usw. Dieser Vorgang wäre bis heute noch nicht abgeschlossen, denn von Jahr zu Jahr würde das Licht einer ständig zunehmenden Zahl von Sternen, entsprechend ihrem größeren Abstand von der Erde, bei uns eintreffen. Das aber widerspricht der astronomischen Beobachtung.

Adam hätte nach dieser Denkweise 4,3 Jahre lang einen völlig sternenlosen Nachthimmel gesehen, und nach weiteren 1,6 Jahren bekäme er den zweiten Stern zu Gesicht. Abraham, der wohl etwa 2000 Jahre nach der Schöpfung lebte, sähe nach dieser Theorie noch nicht einmal die hellsten Sterne unseres Milchstraßensystems, geschweige denn die Sterne anderer Galaxien, denn unsere Milchstraße hat eine Ausdehnung von 130 000 Lichtjahren. Gott aber zeigte dem Abraham die unermeßliche *sichtbare* Sternenzahl, um ihn zum Staunen zu bringen: „Siehe gen Himmel und zähle die Sterne; kannst du sie zählen?" (1 Mo 15,5).

Der obige Denkansatz „Anzahl der Lichtjahre = Mindestalter des Sterns" ist also nach Aussage der Bibel falsch. Die biblische Lösung dieses Problems finden wir in 1. Mose 2,1-2: „Also ward *vollendet* Himmel und Erde mit ihrem ganzen Heer (= *alle* Sterne!). Und also vollendete Gott am siebenten Tag seine Werke, die er machte." Dies ist auch das Zeugnis des Neuen Testaments: „Nun waren ja die Werke *von Anbeginn* der Welt *fertig*" (Hebr 4,3). Nach Ablauf der Schöpfungswoche war somit alles komplett abgeschlossen. Dies bedeutet auch, daß die Wahrnehmbarkeit der Sterne von der

Erde aus vorgegeben war, denn *seit* der Schöpfung sind alle Werke zu ersehen (Röm 1,20). Es liegt im Wesen der Schöpfung, daß wir nicht alle Gesetze unserer jetzigen Erfahrung in diese Zeit des Erschaffens hineininterpretieren dürfen. „Vollendet" bedeutet fertig in jeder Hinsicht: der Fahrstrahl des Lichtes der Sterne war also ebenso geschaffen wie die Sterne selbst, d. h., auch von den entferntesten Sternen war das Licht bereits auf der Erde „eingetroffen". Es gilt zu bedenken: Mit unserem naturwissenschaftlichen Bemühen (Denken und Forschen) gelangen wir zeitlich maximal bis zum Ende der Schöpfungswoche zurück. Zum Verständnis der Geschehnisse innerhalb der Schöpfungswoche kommen wir nur, wenn wir die offenbarten Details durch Studium der Bibel erschließen.

FS4: *Wie stand Darwin zu Gott?*

AS4: Nach Abbruch eines zunächst begonnenen Medizinstudiums studierte *Darwin* auf Anraten seines Vaters Theologie (1828-1831), obwohl seine Interessen auf anderem Gebiet lagen. In seinem Buch „Die Entstehung der Arten durch natürliche Zuchtwahl" schrieb er: „Es ist wahrscheinlich etwas Erhabenes um die Auffassung, daß der Schöpfer den Keim allen Lebens, das uns umgibt, nur wenigen oder gar nur einer einzigen Form eingehaucht hat und daß, während sich unsere Erde nach den Gesetzen der Schwerkraft im Kreise bewegt, aus einem so schlichten Anfang eine unendliche Zahl der schönsten und wunderbarsten Formen entstand und entsteht." Diese Formulierung *Darwins* geht lediglich von einer vagen deistischen Gottesauffassung aus, wonach Gott zwar als Urheber der kosmischen und biologischen Gesamtentwicklung anerkannt wird, aber seine persönliche Stellung zum Menschen sowie die biblischen Schöpfungsaussagen ignoriert werden. Mit der Aussage, der Mensch trage „den unauslöschlichen Stempel seines tierischen Ursprungs", bringt *Darwin* sein gebrochenes Verhältnis zur Bibel vollends zum Ausdruck. Die durch ihn zum Durchbruch gelangte Evolutionsidee hat er selbst als Alternative zur biblischen Offenbarung empfunden, wie er es in seiner Autobiographie bekennt: „In dieser Zeit war ich allmählich zu der Sicht gelangt, daß das Alte Testament aufgrund seiner offensichtlich falschen Weltgeschichte ... nicht glaubhafter war, als die heutigen Bücher der Hindus oder die Glaubensinhalte der Barbaren ... Ich kam nach und nach zur Ablehnung des Christentums als göttliche Offenbarung." Diese Auffassung hat sich in den folgenden Jahrzehnten noch verstärkt:

> „So kroch der Unglaube sehr langsam über mich, war aber zuletzt vollständig. Das ging so langsam, daß es mir keine Not machte, und ich habe seither nie auch nur eine einzige Sekunde gezweifelt, daß mein Entschluß richtig war. Ich kann in der Tat kaum verstehen, wie irgend jemand wünschen sollte, das Christentum sei wahr."

Während *Darwin* bei völliger Ablehnung der biblischen Offenbarung noch von einem vagen Deismus ausging (d. h. Gott als unpersönliches Wesen betrachtend), vollzog *Ernst Haeckel* den Schritt zum totalen Atheismus, indem er postulierte, „daß die Organismen auf rein physikalisch-chemischem Wege entstanden sind." In diesem Gefolge befinden sich die heutigen Neodarwinisten *M. Eigen, C. Bresch, B.-O. Küppers,* die mit ihrem reduktionistischen Denkansatz der Selbstorganisation der Materie viele zu einer atheistischen oder deistischen – und damit antibiblischen – Weltanschauung verführen.

FS5: *Im Hochleistungssport werden ständig verbesserte Leistungen erbracht, die vorher nicht möglich waren. Ist das nicht auch ein Hinweis auf Evolution?*

AS5: In einem Abschlußbericht zur XXIV. Olympiade in Seoul schreibt die „Braunschweiger Zeitung" vom 3.10.1988:

> „Den Glanz erhielten die Spiele durch 38 Weltrekorde. Die Grenzen menschlichen Vermögens wurden in der südkoreanischen Metropole neu definiert. Das Elend personifiziert sich in dem Namen des ehrlosen kanadischen Sprinters *Ben Johnson,* der nach seinem Weltrekordlauf

zum Olympiasieg als Betrüger entlarvt wurde. Nur zehn Fälle unerlaubter Leistungsbeeinflussung vermochte das IOC bis zum Sonntag aufzudecken. Doch die Dunkelziffer ist weitaus größer. So liegt über vielen Höchstleistungen von Seoul der Schatten des Zweifels. – Die Spiele brachten große Athleten hervor: Die sechsfache Schwimm-Olympiasiegerin *Kristin Otto* aus Leipzig, der mit fünf Goldmedaillen geschmückte amerikanische Schwimmer *Matt Biondi,* der russische Turn-König und Vierfach-Sieger *Wladimir Artemow,* der amerikanische Leichtathletik-Superstar *Florence Griffith-Joyner* mit ihren Sprint-Triumphen über 100 m, 200 m und in der Staffel. In die Ahnen-Galerie der Olympia-Größen gehört ohne Zweifel auch *Steffi Graf,* die mit ihrem Olympiasieg den „Golden Slam" vollendete und damit eine Jahrhundert-Leistung vollbrachte."

In der Tat, die Weltrekorde im Hochleistungssport werden ständig verbessert. Auch wenn man die Dopingfälle abzieht, ist eine Leistungssteigerung erkennbar. Dabei ist allerdings zu bedenken: Die erbrachten Rekorde sind das Ergebnis intensiver Sportforschung und die Umsetzung in strapaziöse Trainingsmethoden. Die antrainierten Höchstleistungen sind nicht vererbbar. Wird das Training beendet, so können diese Leistungen nicht aufrechterhalten werden.

Im Evolutionssystem braucht man jedoch einen Mechanismus, der von Generation zu Generation selbsttätig eine Verbesserung bringt. Nach evolutionistischer Vorstellung sollen Mutation und Selektion die Antriebsräder der Höherentwicklung sein. Diese sind aber weder planmäßig noch zielstrebig. Es herrscht vielmehr ein anderes Gesetz in der Materie: das Gesetz der Trägheit, der Passivität, der Energieentwertung und der Tendenz zur Nivellierung. Leben aber ist immer – bis in den Feinbau der Makromoleküle – mit Planmäßigkeit verbunden. Niemand wird bezweifeln, daß dem Bau unserer heutigen Computer ein aufwendiger Plan zugrundeliegt. Aber selbst die komplexesten Rechnerarchitekturen sind nur ein Kinderspielzeug im Vergleich zu dem, was in jeder lebendigen Zelle arbeitet und somit in höchstem Grade planmäßig ist.

FS6: *Ist die Bibel wissenschaftlich ernst zu nehmen, wenn sie altertümliche Weltbildvorstellungen verwendet, die doch längst überholt sind?*

AS6: Die Bibel verwendet keineswegs Weltbilder der damaligen Zeit. (siehe auch B59, S.125+126). Es ist umgekehrt: Die liberale Theologie interpretiert in die biblischen Texte die Vorstellungen des Alten Orients hinein. Mit einem solchen der Bibel unterstellten Weltbild arbeitet *A. Läpple,* wenn er ihre Entstehung als rein menschliches Wollen ansieht:

„Die Erde dachte man sich als runde, flache Scheibe. Sie nimmt den Mittelpunkt der Schöpfung ein und wird von den unteren Wassern umflossen, der Urflut oder dem Urozean ... Über die Erdscheibe spannt sich als Überdachung das Firmament, an dem Sonne, Mond und Sterne gleich Lampen angebracht sind. Über dem Firmament befinden sich die 'oberen Wasser', die durch Fenster oder Schleusen als Regen auf die Erde strömen können." („Die Bibel – heute", München, S.42)

Nur wenige Verse der Bibel reichen aus, um solche Voreinstellungen zu entkräften und um zu zeigen, wie wirklichkeitstreu biblische Aussagen waren, bevor die heute nachgewiesene Gestalt der Erde allgemeine Erkenntnis war:

In Hiob 26,7 lesen wir: „Er spannt den Norden aus über der Leere, hängt die Erde auf über dem Nichts" (*Elberfelder* Übers.). Die Erde schwimmt weder auf einem Urozean noch ist sie auf eine feste Unterlage gestellt, vielmehr schwebt sie frei in einem sie umgebenden Hochvakuum. Auch über die Erdgestalt äußert sich die Bibel in direkten und indirekten Bezügen, obwohl dies nicht die primäre Mitteilungsabsicht ist: „Er ist es, der da thront über dem Rund (hebr. *chug* = Kreis oder Kugel) der Erde" (Jes 40,22; *Menge*). Die sphärische Gestalt der Erde kommt auch deutlich zum Ausdruck in den Texten zur Wiederkunft Jesu. Da der Herr plötzlich (Mt 24,27) und für alle Menschen gleichzeitig sichtbar (Offb 1,7) erscheinen wird, ist es bei seinem Kommen für die Menschheit auf der einen

Erdhälfte Tag und für die auf der entgegengesetzten Seite Lebenden Nacht. Genau das bringt der Text in Lukas 17,34+36 als Nebeneffekt zum Ausdruck: „In derselben Nacht werden zwei auf einem Bette liegen; einer wird angenommen, der andere wird verworfen werden. Zwei werden auf dem Felde sein; einer wird angenommen, der andere wird verworfen werden." Die gleichzeitig auf der Erde gegebene Tag- bzw. Nachtsituation ist durch Feldarbeit bzw. Nachtruhe markiert und hängt nur davon ab, an welcher Position der rotierenden Erde man sich dann gerade befindet. Auch Sacharja (Kap. 14,7) bezeugt das Kommen des Herrn nicht im Weltbilddenken seiner Zeit, sondern wirklichkeitsgetreu: „Und wird ein Tag (= Datum) sein, der dem Herrn bekannt ist, weder Tag noch Nacht (= dann sind Tag und Nacht aufgehoben); und um den Abend wird es licht sein."

FS7: *Was können wir über die Struktur unseres Universums sagen?*

AS7: Ausschließlich unter der Voraussetzung einer kosmischen Evolution hat man mit immer neuen Hypothesen und Modellen versucht, die Struktur des Universums herauszufinden. Zu den „Propheten neuer Kosmologien" – wie *Heckmann* sie nennt – zählen wir z. B. *A. Friedmann, A. Einstein, E. A. Milne, P. Jordan, F. Hoyle, G. Gamow, A. A. Penzias* und *R. W. Wilson.*

Alle wissenschaftlichen Anstrengungen, die räumliche Struktur des Weltalls (z. B. offen oder geschlossen, begrenzt oder unbegrenzt, endlich oder unendlich, drei- oder vierdimensional, positiv oder negativ gekrümmt) zu ergründen, sind bis heute fehlgeschlagen. Der bekannte Astronom *O. Heckmann* äußert sich zu diesen Bemühungen in seinem Buch „Sterne, Kosmos, Weltmodelle" (S. 129) wie folgt: „Die Erfindungskraft menschlichen Geistes ist nicht gering, die Produktion an Weltbildern also ziemlich groß, so daß ein Kritiker kürzlich glaubte, feststellen zu dürfen, daß die Zahl kosmologischer Theorien umgekehrt proportional sei zur Zahl bekannter Fakten." Zu einer in diesem Zusammenhang wichtigen Feststellung kommt der Kieler Astrophysiker *V. Weidemann* während des „16. Weltkongresses für Philosophie in Düsseldorf (1978)":

> „Der Kosmologie liegen mehr philosophische Annahmen zugrunde als allen anderen Zweigen der Naturwissenschaft. Wenn wir andererseits gezwungen sind, die Grenzen dessen zurückzunehmen, was Wissenschaft genannt werden kann, und nicht hoffen können, fundamentale Fragen der Kosmologie wissenschaftlich zu beantworten, dann müssen wir zugeben, daß das Universum von Grund auf unverstehbar ist. Die Wissenschaft muß sich damit abfinden, daß es Fragen gibt, die nicht beantwortbar sind. Was bleibt, ist eine Theorie über unser Wissen."

Diesen Befund vermittelt auch die Bibel. Den zentralen Schlüsselvers bezüglich der Unergründlichkeit des Universums finden wir in Jeremia 31,37, der nach der *Menge*-Übersetzung wie folgt lautet: „So wenig der Himmel droben ausgemessen und die Grundfesten der Erde drunten erforscht werden können, so wenig will ich auch die gesamte Nachkommenschaft Israels verwerfen wegen alles dessen, was sie begangen haben." Hier bindet Gott die Ergebnisse astronomischer Forschung und den Weg eines Volkes – also zwei völlig voneinander unabhängige Sachverhalte – zu einer gemeinsamen Aussage zusammen. Die eine Teilaussage ist eine Treueverheißung Gottes an Israel und die andere ist vollständig damit korreliert: Keiner astronomischen und geophysikalischen Forschung wird es trotz größten Aufwandes je gelingen, die Struktur des Universums oder die Beschaffenheit des Erdinnern zu erforschen. Da Gottes Zusage an Israel unverbrüchlich ist, gilt mit gleicher Bestimmtheit, daß die genannten astronomischen wie geophysikalischen Forschungsziele nie erreicht werden können. So bleibt das erklärte Ziel des gelähmten britischen Astrophysikers *Stephen W. Hawking* eine Utopie: „Mein Ziel ist ein vollständiges Verständnis des Universums, warum es so ist, wie es ist, und warum es überhaupt existiert." Die Antwort auf diese Frage, schreibt er, „wäre der endgültige Triumph der menschlichen Vernunft" („Eine kurze Geschichte der Zeit", Rowohlt, 1988).

FS8: *Warum finden wir die bei der Sintflut umgekommenen Menschen nicht als Fossilien?*

AS8: Es fehlen nicht nur die vorsintflutlichen Menschen in der Fossilüberlieferung, sondern nach vorläufiger Modellvorstellung auch alle Landtiere, die vor der großen Flut lebten. Die bekannten Funde wie „Lucy", Neandertaler, Pekingmensch, aber auch alle fossilen Säugetierknochen, Dinosaurier-Skelette sowie Fossilien von Vögeln sind sämtlich nachsintflutlich. Da die vorsintflutlichen Menschen mit ihrer Umwelt in der uns zugänglichen Erdkruste nicht als Fossilien anzutreffen sind, stellt sich die Frage nach ihrem Verbleib. Könnte es wohl Gottes Wille gewesen sein, die Menschen wegen ihrer beispiellosen Bosheit unauffindbar zu vertilgen? Einige Bibelstellen weisen in eine solche Richtung. Schon bei der Ankündigung der Sintflut heißt es: „Ich will die Menschen, die ich geschaffen habe, vom ganzen Erdboden *weg vertilgen*" (1 Mo 6,7; *Menge*). Weitere Hinweise finden wir in Hesekiel 31, wo es zwar vordergründig um die Könige von Ägypten und Assyrien geht, aber ein genaues Betrachten der Texte verweist in die Sintflutsituation: „... alle, die vom Wasser getränkt werden; denn sie sind alle dem Tode geweiht und müssen in das unterirdische Land hinab, mitten unter die anderen Menschenkinder, zu denen hin, die in die Grube hinabgefahren sind" (V14, *Menge*). Die „Bäume Edens" stehen wohl als Synonym für die vorsintflutliche Vegetation, die ebenso in die Tiefe gelangte wie die Menschen: „Und doch wirst du mit den Bäumen Edens in das unterirdische Land hinabgestoßen werden" (V18, *Menge*).

FS9: *Wie lange dauerte ein Schöpfungstag?*

AS9: Über diese Frage ist oft heiß diskutiert worden, weil zu viele Theorien darüber entwickelt worden sind, die sich je nach Standpunkt widersprechen. Wir gelangen am schnellsten zur Antwort, wenn wir zunächst einmal die Anzahl der in Frage kommenden Informationsquellen klären. Keine der gängigen Wissenschaften verfügt diesbezüglich über Beobachtungsdaten oder Fakten, die es zu interpretieren gilt. Die einzige Aussage hierzu gibt uns Gott in der Bibel, und zwar im Schöpfungsbericht und in den Geboten vom Sinai.

Der Schöpfungsbericht ist in strenger Chronologie aufgebaut, wobei die einzelnen Werke an sechs aufeinander folgenden Tagen ausgeführt wurden. Die Bibel erweist sich auch hier als ein exaktes Buch (vgl. Satz B80 im Anhang, Teil I), indem sie bei Verwendung einer physikalischen Einheit auch die zugehörige Meßmethode (1 Mo 1,14) nennt. Damit ist die Länge eines Tages – auch wissenschaftlichen Ansprüchen genügend – genau definiert: Es ist jener geoastronomische Zeitabschnitt, der durch die Rotationsdauer der Erde festgelegt ist, und das sind 24 Stunden. In den Zehn Geboten vom Sinai begründet Gott die sechs Arbeitstage und den Ruhetag des Menschen mit dem Hinweis auf die Schöpfungswoche: „**Sechs Tage** sollst du arbeiten..., aber am siebenten Tage ist der Sabbat des Herrn, deines Gottes, da sollst du kein Werk tun... Denn in **sechs Tagen** hat der Herr Himmel und Erde gemacht und das Meer und alles, was darinnen ist und ruhte am siebenten Tage" (2 Mo 20, 9-10).

In Anlehnung an die Evolutionslehre wird gelegentlich versucht, die Schöpfungstage als lange Perioden umzudeuten. Dabei wird das Psalmwort 90,4 „Denn tausend Jahre sind vor dir wie der Tag, der gestern vergangen ist" willkürlich in 1. Mose 1 wie in eine mathematische Formel eingesetzt. (In Psalm 90 und ebenso in 2. Petrus 3,8 geht es um Gott als den Ewigen, der keinem Zeitablauf unterliegt.) Diese Bibelmathematik erbringt zwar die evolutiv gewünschte Zeitdehnung von 1 : 365 000, aber sie ist als unbiblisch zu verwerfen. Mit gleicher Berechtigung könnte dies dann auch auf Matthäus 27,63 angewandt werden, so daß unversehens daraus würde: „Nach 3000 Jahren werde ich auferstehen." Jesus aber ist am dritten Tage auferstanden, genau so, wie er es gesagt hat. Es ist von Kritikern oft der Einwand gebracht worden, der Glaube, daß Gott die Schöpfung in sechs Tagen ausgeführt habe, sei nicht heilsnotwendig. Darauf pflege ich zu fragen: Glauben Sie, daß Jesus nach drei Tagen auferstanden ist? Dies wird von den Fragern meist bejaht. So folgere ich weiter: Es ist für mich auch nicht heilsnotwendig, daß der Herr nach drei Tagen auferstanden ist. Warum aber machen wir solche Unterschiede mit derselben Bibel? Das eine glauben wir, und dem anderen vertrauen wir nicht? Weitere Argumente für die Schöpfungswoche und Einwände gegen die willkürliche Umdeutung der Schöpfungstage in Zeitepochen sind ausführlich in [G2,13-55] behandelt.

FS10: *Gibt es zwei sich widersprechende Schöpfungsberichte?*

AS10: Die ersten beiden Kapitel der Bibel, aber auch zahlreiche andere Bibelteile befassen sich mit Aussagen zur Schöpfungsthematik. Alle Berichte ergänzen sich und vermitteln in ihrer Gesamtheit eine detaillierte Beschreibung des Schöpfungshandelns Gottes. Im Umgang mit der Bibel gibt es zwei generelle, nicht harmonisierbare Linien: eine bibeltreue und eine bibelkritische Haltung. Die Vorentscheidung für die eine oder andere Richtung geschieht nicht erst im NT beim Interpretieren der Auferstehung Jesu oder seiner Wunder; die Weggabelung für zwei völlig divergierende Arten von Schriftverständnis setzt bereits am Anfang der Bibel ein:

1. *Bibeltreue Auffassung:* Der Schöpfungsbericht nach 1. Mose 1 und 2 (wie auch alle sonstigen Teile der Bibel, die gemäß 2. Timotheus 3,16 unter göttlicher Anleitung verfaßt wurden) ist nicht menschlich erdacht, sondern Gott selbst ist der Urheber dieser Information. Kein Mensch war Zeuge des Erschaffungshandelns Gottes, und so kann nur er uns durch Offenbarung mitteilen, wie und wie lange, in welcher Reihenfolge und nach welchen Prinzipien er geschaffen hat. In krassem Gegensatz dazu steht die folgende Leitidee:

2. *Bibelkritische Auffassung:* Hiernach ist der Schöpfungsbericht in die Teile 1. Mose 1-2a und 2,4b-2,25 aufzutrennen und verschiedenen menschlichen Autoren, dem Elohisten (junge Quelle) und dem Jahwisten (ältere Quelle), zuzuschreiben, die in eigener Überlegung über die Herkunft der Welt und des Lebens nachgedacht haben. Nach dem babylonischen Exil wurden die Einzelteile zu einem Sammelwerk vereinigt. Man legt Wert darauf, Widersprüche und unterschiedliche Entstehungszeiten in beiden Berichten zu finden, um diese Zwei-Quellen-Hypothese zu stützen. Als die beiden Hauptargumente werden genannt:

a) Die Berichte unterscheiden sich durch unterschiedliche Gottesnamen (Elohim, Jahwe).

b) Die Texte widersprechen sich in der Reihenfolge der Erschaffung:
   „Pflanzen – Tiere – Mensch" im ersten Bericht und „Mensch – Pflanzen – Tiere" im zweiten.

Gegen diese beiden Stützen der bibelkritischen Hypothese sind gewichtige Einwände geltend zu machen:

Zu a): Gott offenbart sich in der Bibel als Vater, Sohn und Heiliger Geist mit mehr als 700 verschiedenen Namen (siehe auch Frage FG3), um uns seine zahlreichen Wesenszüge mitzuteilen. Unterschiedliche Gottesnamen verschiedenen Verfassern zuordnen zu wollen, – in Konsequenz der obigen Auffassung müßten es mindestens 700 sein – , ist eine willkürliche Unterstellung, die dem Gesamtzeugnis der Bibel nicht angemessen ist.

Zu b): Ab 1. Mose 2,4b beginnt nicht ein zweiter Schöpfungsbericht, der aus einer anderen Quelle stammt, sondern hier wird ein Detail, nämlich die Erschaffung des Menschen, ausführlich beschrieben. Es handelt sich um einen Parallelbericht zu 1. Mose 1 – 2,3 mit einer anderen Zielsetzung, und zwar dem leicht erkennbaren Aussageschwerpunkt „Wie, wo, in welcher Reihenfolge und in welcher Zuordnung zueinander und zum Schöpfer schuf Gott die beiden ersten Menschen?" Auch bei anderen Berichten der Bibel finden wir die Erzählmethode, ein Ereignis zunächst chronologisch und im Überblick darzustellen und in einem zweiten Durchgang auf hervorzuhebende Details näher einzugehen. Es wird ausdrücklich gesagt (V8), daß Gott den Garten **pflanzte**. Das Anpflanzen eines Gartens setzt bereits geschaffene Pflanzen voraus. Nach dem Pflanzen „ließ der Herr **aufwachsen** aus der Erde allerlei Bäume" (V9); dies darf ebenfalls nicht mit einer Erschaffung der Bäume verwechselt werden. Die verwendeten Wörter „pflanzen" und „aufwachsen" sind im Gegensatz zu denen in 1. Mose 1 keine Schöpfungsverben, denn sie beschreiben Tätigkeiten, die von einem bereits vorhandenen Bestand ausgehen. Weiterhin ist die Interpretation von Vers 19 bedeutungsvoll: Betrachtet man diesen isoliert und leitet allein daraus eine Lehre ab (Verletzung von Auslegungsgrundsatz A4, siehe Anhang Teil II), so könnte man unterstellen, die Tiere seien nach dem Menschen erschaffen worden. Bedenkt man jedoch, daß 1. Mose 2,7-25 äußerst stark anthropozentrisch (auf den Menschen hin) ausgerichtet ist, dann wird klar, daß es auch hier in Vers 19 nicht mehr um den Zeitpunkt der Erschaffung der Tiere geht, sondern um den Test der geistig-sprachlichen Fähigkeiten des gerade geschaffenen Menschen, wie er Tiere benennt. Der Nebensatz will nur darauf hinweisen, daß auch die nun vorgeführten Tiere – bemerkenswerterweise werden die Feldtiere besonders erwähnt, die ja vom selben sechsten Schöpfungstag wie der Mensch stammen – ebenfalls aus des Schöpfers Hand hervorgingen. Diesem Hintergrundwissen wird man in der deutschen Fassung dadurch gerecht, daß der hebräische Grundtext von Vers 19 in zwei verschiedene Zeitformen übersetzt wird (Tiere bringen und benennen im Präteritum, der 1. Vergangenheitsform; Tiere erschaffen im Plusquamperfekt, der 3. Vergangenheitsform, hier kursiv gedruckt):

> „Und Gott, der Herr, brachte alle Tiere des Feldes und alle Vögel des Himmels, *die er aus dem Erdboden gebildet hatte,* zu dem Menschen, um zu sehen, wie er sie nennen würde" (1 Mo 2,19).

FS11: *Paßten die Saurier in die Arche?*

AS11: Im 40. Kapitel des Buches Hiob werden die Saurier nicht nur erwähnt, sondern sogar Details ihres Körperbaues beschrieben (V 15-18+23):

> „Siehe da den Behemot, den ich neben dir gemacht habe; er frißt Gras wie ein Ochse.

Siehe, seine Kraft ist in seinen Lenden
und sein Vermögen in den Sehnen seines Bauches.
Sein Schwanz streckt sich wie eine Zeder;
die Sehnen seiner Schenkel sind dicht geflochten.
Seine Knochen sind wie eherne Röhren;
seine Gebeine sind wie eiserne Stäbe.
Siehe, er schluckt in sich den Strom und achtet's nicht
groß;
läßt sich dünken, er wolle den Jordan mit seinem Mund
ausschöpfen."

Luther hat den hebräischen Tiernamen Behemot nicht übersetzt,
da auf kein zu seiner Zeit lebendes Tier die obigen Beschreibungen paßten. Der kräftige Schwanz könnte auf ein Krokodil
hinweisen, aber dieses paßt als reiner Fleischfresser nicht zu
obigem Text. Ein anderes großes vorwiegend im Wasser lebendes Tier, das zudem Gras frißt, ist das Flußpferd. Es scheidet
aber ebenfalls als Kandidat aus, da es nur über ein kleines
Quastenschwänzchen verfügt. So bleiben nur jene Riesentiere
aus der Verwandtschaft der Dinosaurier übrig, auf die der obige Steckbrief exakt zutrifft. Das Buch Hiob gehört zwar zu den
ältesten Büchern der Bibel, aber die genauere Abfassungszeit
ist unbekannt. Wegen der veränderten Erdoberfläche durch die
Sintflut mit völlig anderen Bergen, Flüssen, Seen und Ozeanen
ist die Nennung des Jordanflusses in Hiob 40,23 ein eindeutiger Hinweis auf die nachsintflutliche Zeit, zu der die Saurier
somit noch lebten. Diese Tiere müssen demnach auch durch die
Arche gerettet worden sein. Ausgewachsene Tiere hätten in der
riesigen Arche einen ziemlichen Raumanteil beansprucht, so ist
es denkbar, daß Noah nur kleinere Jungtiere oder gar nur Eier
mitgenommen hat. In nachsintflutlicher Zeit fanden diese Tiere nicht mehr die Ökologien und klimatischen Bedingungen
vor, für die sie einst geschaffen waren. So sind sie in der Fol-
gezeit ausgestorben. Diese Erklärung für das Ende der Saurier
ist einleuchtender als jene Hypothesen, die heute in Leugnung
der biblischen Befunde ersonnen werden.

FS12: *Welche wissenschaftliche Argumentation spricht aus Ihrer Sicht am deutlichsten für eine Schöpfung und am stärksten gegen eine evolutive Entwicklung?*

AS12: Leben begegnet uns in äußerst vielfältiger Gestalt, so daß selbst ein schlichter Einzeller bei aller Einfachheit dennoch so komplex und zielgerichtet gestaltet ist wie kein Erzeugnis menschlichen Erfindungsgeistes. Zur Deutung des Lebens und seiner Herkunft gibt es zwei prinzipiell zu unterscheidende Möglichkeiten: Evolution oder Schöpfung. Nach der Evolutionslehre wird Leben wie folgt definiert:

> „Leben ist ein rein materielles Ereignis, das somit physikalisch-chemisch beschreibbar sein muß und sich von der unbelebten Natur nur durch seine Komplexität unterscheidet."

Gegen die Evolutionslehre sind inzwischen von zahlreichen Wissenschaftlern aus mancherlei Gebieten (z. B. Informatik, Biologie, Astronomie, Paläntologie, Geologie, Medizin) gewichtige Einwände erarbeitet worden. In der Kontroverse Schöpfung/Evolution bleibt jedoch ein unauflösbarer Widerstreit bestehen, dessen Ursachen in den unterschiedlichen Basissätzen beider Modelle liegen (siehe Frage FS1). Aus diesem Patt käme man heraus, wenn es ein System gäbe, daß sich allein an wissenschaftlichen Erfahrungssätzen orientiert. Diese Sätze müßten sehr angriffsfähig formuliert sein, so daß ein einziges experimentell belegbares Gegenbeispiel sie schon zu Fall bringen könnten. Wenn dies nicht gelingt, gewinnen sie naturgesetzliche Bedeutung, und damit erlangen sie eine starke Aussagegewißheit für die Beurteilung noch unbekannter Fälle. In diesem Sinne ist der nur in der Erfahrung bewährte Energiesatz weltbildfrei anwendbar. So war das zuvor noch nie durchgeführte Unternehmen des Fluges zum Mond nur dadurch möglich, weil von der strengen Gültigkeit des Energiesatzes bei allen erforderlichen Vorausberechnungen ausgegangen werden konnte. Von ähnlicher Aussagegüte sind die **Erfahrungssätze über Information**, so daß wir hier erstmals die Möglichkeit haben, schon auf der naturgesetzlichen Ebene zu einer aussagestarken Argumentation zu gelangen.

Materie und Energie sind zwar notwendige Grundgrößen des Lebendigen, aber sie heben lebende und unbelebte Systeme noch nicht grundsätzlich voneinander ab. Zum zentralen Kennzeichen aller Lebewesen aber gehört die in ihnen enthaltene „Information" für alle Betriebsabläufe (Realisierung aller Lebensfunktionen, genetische Information zur Vermehrung). Informationsübertragungsvorgänge spielen eine grundlegende Rolle bei allem, was lebt. Wenn z. B. Insekten Pollen von Pflanzenblüten überbringen, so ist dies in erster Linie ein Informationsübertragungsvorgang (von genetischer Information); die beteiligte Materie ist dabei unerheblich. Leben ist damit zwar noch keineswegs vollständig beschrieben, aber ein äußerst zentraler Faktor ist damit angesprochen.

Das komplexeste informationsverarbeitende System ist zweifelsohne der Mensch. Nimmt man alle Informationsabläufe im Menschen einmal zusammen, d.h. die bewußten (Sprache, Informationssteuerung der willentlichen motorischen Bewegungen) und die unbewußten (informationsgesteuerte Funktionen der Organe, Hormonsystem), so werden täglich 10^{24} bit verarbeitet. Dieser astronomisch hohe Wert für die Informationsmenge übertrifft das Gesamtwissen der Menschheit von 10^{18} bit, wie es in den Bibliotheken der Welt gespeichert ist, noch um den Faktor von einer Million.

Betrachtet man die Frage der Herkunft des Lebens nach informationstheoretischen Gesichtspunkten, so sind wie bei jedem System, das Information trägt oder verarbeitet, folgende Erfahrungssätze zu berücksichtigen:

1. Es gibt keine Information ohne Code.
2. Es gibt keinen Code ohne freie willentliche Vereinbarung.
3. Es gibt keine Information ohne Sender.
4. Es gibt keine Informationskette, ohne daß am Anfang ein geistiger Urheber steht.
5. Es gibt keine Information ohne ursprüngliche geistige Quelle; d.h.: Information ist wesensmäßig eine geistige, aber keine materielle Größe.

6. Es gibt keine Information ohne Wille.

7. Es gibt keine Information ohne die fünf hierarchischen Ebenen:
Statistik (Aspekte der Zeichenhäufigkeit und Signalübertragung),
Syntax (Aspekte des Codes und der Satzbildungsregeln),
Semantik (Aspekte der Bedeutung),
Pragmatik (Aspekte der Handlung),
Apobetik (Aspekte des Ergebnisses und des Zieles).

8. Es gibt keine Information durch Zufall.
(ausführlicher hierzu in [G5, 94-177] und [G6, 77-94])

Im Gegensatz zur Evolutionslehre ist Leben somit weitergehender zu definieren:

Leben = materieller Anteil (physikalische und chemische Aspekte)
+ immaterieller Anteil (Information aus geistiger Quelle)

Bis heute sind alle vorgetragenen Konzepte einer autonomen Informationsentstehung in der Materie (z. B. *Eigens* Hyperzyklus, *Küppers'* molekulardarwinistischer Ansatz) an der Erfahrung gescheitert. So bleibt es unverständlich, daß *M. Eigen* dennoch glaubt, irgendwann einmal mit rein materiellen Prozessen die Herkunft von Information begründen zu können: „Wir müssen nach einem Algorithmus, einer naturgesetzlichen Vorschrift für die Entstehung von Information suchen" („Stufen zum Leben", Piper-Verlag, 1987, S. 41). Sein Ansatz „Information entsteht aus Nicht-Information" (S. 55) widerspricht allen Erfahrungssätzen und ist damit ohne Realitätsbezug. Die obigen acht Informationssätze hingegen haben sich unzählbar oft in der Erfahrung bewährt und sind in keinem Laboratorium der Welt experimentell widerlegt worden. So ist es folgerichtig, zu fragen, ob das Leben nicht aus einem zielorientierten Schöpfungsprozeß stammt. Von diesem Prinzip berichtet die Bibel. Die aus der Sicht der Informatik zu fordernde geistige

Informationsquelle für jegliche Information – und damit auch für die biologische Information – wird in der Bibel bereits auf der ersten Seite erwähnt: „Am Anfang schuf Gott" (1 Mo 1,1). Die Evolutionslehre unterstellt hingegen, daß die Information in den Lebewesen keines Senders bedarf. Diese Aussage wird durch die tägliche Erfahrung der obigen Informationssätze reichlich widerlegt. Darum liefert uns heute die Informatik die stärksten Argumente für die Entstehung der Lebewesen durch eine Schöpfung.

4. Fragen bezüglich des Heils (FH)

FH1: *Wodurch wird man selig – durch den Glauben oder durch Werke?*

AH1: Im NT finden wir zwei Aussagen, die sich auf den ersten Blick zu widersprechen scheinen:

a) *Rettung durch Glauben*: „So halten wir nun dafür, daß der Mensch gerecht werde ohne des Gesetzes Werke, allein durch den Glauben" (Röm 3,28).
b) *Rettung durch Werke:* „So sehet ihr nun, daß der Mensch durch Werke gerecht wird, nicht durch den Glauben allein" (Jak 2,24).

Nach den zentralen Aussagen des NT hat der Glaube an den Herrn Jesus Christus rettende Kraft (Joh 3,16; Mk 16,16; Apg 13,39; Apg 16,31). Dieser rettende Glaube besteht nicht in einem Fürwahrhalten biblischer Fakten, sondern in der personalen Bindung an den Sohn Gottes: „Wer den Sohn hat, der hat das Leben" (1 Joh 5,12). Wer sich zum Herrn Jesus bekehrt, erfährt dadurch die größte Veränderung des Lebens. An seinem Lebensstil und an seinen Taten wird es für jedermann offenbar: „Wenn ihr mich liebt, werdet ihr meine Gebote halten" (Joh 14,15) – „ihr werdet meine Zeugen sein" (Joh 15,27) – „handelt damit, bis daß ich wiederkomme" (Lk 19,13) – „dienet dem Herrn" (Röm 12,11) – „liebet eure Feinde" (Mt 5,44) – „vergeltet nicht Böses mit Bösem" (Röm 12,17) – „gastfrei zu sein, vergesset nicht" (Hebr 13,2) – „wohlzutun und mitzuteilen, vergesset nicht" (Hebr 13,16) – „weide meine Schafe!" (Joh 21,17). Der Dienst im Namen Jesu unter Einsatz der anvertrauten Gaben ist eine unbedingte Folge des rettenden Glaubens. Dieses Handeln wird im NT als Frucht oder Werk des Glaubens bezeichnet. Wer nicht wirkt, geht demnach verloren: „Und den unnützen Knecht werft in die Finsternis hinaus; da wird sein Heulen und Zähneklappen" (Mt 25,30). Im Gegensatz zu den Werken des Glaubens handelt es sich bei den Werken des Gesetzes (Gal 2,16) oder den toten Werken (Hebr 6,1; Hebr 9,14) um die Werke dessen, der noch nicht glaubt. Auch hier gilt: Wenn zwei das gleiche tun, ist es noch längst nicht dasselbe. Der Textzusammenhang von Jakobus 2,24 (siehe obige Aussage b)) zeigt, daß der Glaube Abrahams konkrete Taten nach sich zog: Er war Gott gegenüber gehorsam, indem er aus seinem Vaterland auszog (1 Mo 12,1-6) und bereit war, seinen Sohn Isaak zu opfern (Jak 2,21). Ebenso ist das Werk der (ehemaligen) Hure Rahab (Jak 2,25), nämlich die Rettung der israelischen Kundschafter in Kanaan, eine Folge ihres Gottesglaubens (Jos 2,11). So wird hieran deutlich: Zum Glauben gehören untrennbar die Werke. Genau so wie der menschliche Leib ohne Geist tot ist, so ist auch der Glaube ohne die daraus folgenden Taten tot (Jak 2,26). Die obigen Verse a) und b) bilden also keinen Widerspruch; wir haben es hier mit einem Fall komplementärer Aussagen zu tun, die sich ergänzen (siehe Auslegungsgrundsätze A3 und A14 im Anhang, Teil II).

FH2: *Warum hat sich Gott gerade die Methode des Kreuzes zur Erlösung ausgedacht? Wäre auch eine andere Methode denkbar?*

AH2: Die Methode der Kreuzigung wird im AT nicht direkt erwähnt, wohl aber werden mehrere Details prophetisch genannt, die allein auf die Kreuzigung zutreffen wie z. B. in Psalm 22,17: „Sie haben meine Hände und Füße durchgraben." Paulus bezieht die alttestamentliche Aussage „Ein Aufgehängter ist verflucht bei Gott" (5 Mo 21,23) auf den gekreuzigten Jesus (Gal 3,13). Die von den Persern übernommene Hinrichtungsart galt bei den Römern als die „grausamste, entsetzlichste" (*Cicero*) und „schändlichste" (*Tacitus*). Das Kreuz lag im Plan Gottes; Jesus „erduldete das Kreuz und achtete der Schande nicht" (Hebr 12,2). „Er ward gehorsam bis zum Tode, ja zum Tode am Kreuz" (Phil 2,8). Ob eine andere Methode des Todes – etwa durch Steinigen, Enthaupten, Vergiften, Ertränken – auch denkbar wäre, ist durch die Analogie von Fall und Erlösung auszuschließen: An einem Baum

(1 Mo 2,17: Baum der Erkenntnis) kam die Sünde in die Welt; an einem Baum mußte sie getilgt werden: Das Kreuz von Golgatha ist der Baum des Fluches (Gal 3,13): Jesus stirbt ehrlos und aus jeder menschlichen Gemeinschaft ausgeschlossen: Er ist verflucht.

Das Mosegesetz spricht über den Sünder den Fluch aus. Dieser liegt seit dem Sündenfall auf allen Menschen. Jesus hat den Fluch Gottes über die Sünde an unserer Statt auf sich genommen. Das Wort vom Kreuz ist nun die befreiende Botschaft für alle Menschen, die durch ihre Sünde prinzipiell unter dem Fluch stehen.

Papst *Johannes Paul II* bezeichnete Auschwitz einmal als das Golgatha des 20. Jahrhunderts. In diesem Sinne gibt es heute eine theologische Richtung, die Jesus in Solidarität sieht mit anderen Leidenden, Gefolterten und Ermordeten, die wie er gelitten haben und eines grausamen Todes gestorben sind. Aber: Der Kreuzestod Christi darf nie und nimmer mit dem Tod anderer Menschen, sein Kreuz auch nicht mit den vielen anderen Kreuzen, die um Jerusalem oder Rom standen, verglichen werden. Es hat, weil es das Kreuz des Christus, des Gottessohnes ist, eine andere „Qualität" als alle anderen Kreuze. Er durchlitt nicht nur die Ungerechtigkeit der Mächtigen in dieser Welt, sondern als **einziger** den Zorn Gottes über die Sünde. Nur er allein war das Opferlamm, das stellvertretend „für viele" das Gericht Gottes trug. „Das Wort vom Kreuz" (1 Kor 1,18) ist seitdem das Zentrum aller christlichen Verkündigung. Paulus hat darum nur eines mitzuteilen: „allein Jesus Christus, den Gekreuzigten" (1 Kor 2,2). *A. L. Coghill* zeigt uns die Kreuzesbedeutung in einem bekannten Erweckungslied:

„Wer Jesus am Kreuze im Glauben erblickt,
  wird heil zu derselben Stund;
  drum blick nur auf ihn, den der Vater geschickt,
  der einst auch für dich ward verwundt."

FH3: *Wie konnte Jesus vor 2000 Jahren für unsere Sünden sterben, die wir erst jetzt begangen haben?*

AH3: Der Rettungsplan Gottes für den gefallenen Menschen existierte schon vor Grundlegung der Welt (Eph 1,4), weil Gott durch die Gabe der Freiheit an den Menschen nicht nur den Sündenfall einkalkuliert, sondern sogar vorausgesehen hat. Gott hätte die Rettung durch den Herrn Jesus im Prinzip sowohl unmittelbar nach dem Sündenfall als auch erst am Ende der Weltgeschichte durchführen können; wichtig ist nur, daß es *einmal* geschieht (Hebr 9,28). Im ersten Fall wäre der Preis der Sünde schon im voraus erbracht; im zweiten Fall geschähe es rückwirkend. Aus dem kaufmännischen Geschehen kennen wir ebenso beides: Vorauszahlung und spätere Zahlung. Gott hat in seiner Weisheit den „optimalen Zeitpunkt" festgelegt. Im Blick darauf heißt es im Galaterbrief (4,4): „Als aber die Zeit erfüllet ward, sandte Gott seinen Sohn." Menschen, die vor dem Kommen Jesu lebten und die *damaligen* Weisungen Gottes zum Heil beachteten, sind ebenso durch das Opfer von Golgatha gerettet wie diejenigen, die *danach* geboren sind und das Evangelium annehmen (Hebr 9,15). Den zeitlichen Aspekt des für uns schon geschehenen Heilsereignisses bringt Römer 5,8 zum Ausdruck: „Gott erweist seine Liebe gegen uns darin, daß Christus für uns gestorben ist, als wir noch Sünder waren."

Zur Zeit Abrahams oder Hiobs gab es noch nicht die Gebote. Diese Männer handelten nach ihrem Gewissen und vertrauten Gott. Das rechnete er ihnen zur Gerechtigkeit (Röm 4,3). Zur Zeit Davids gab es längst die Gebote vom Sinai. Sie waren der Maßstab, um vor Gott gerechtfertigt zu sein; Sünden wurden durch Tieropfer abgetan. Die Opfertiere konnten jedoch keine Sünde tilgen (Hebr 10,4); sie waren lediglich der Hinweis auf das kommende Opfer in Jesus. Aus diesem Grunde wird er auch als das „Lamm Gottes, welches der Welt Sünde trägt" (Joh 1,29), bezeichnet. Durch ihn erst gab es die endgültige Deckung der Schuld. Wir leben in der Zeit des bereits erfüllten Opfers. Damit sind die Schattenbilder (Tieropfer) abgetan, und wir empfangen Vergebung aufgrund des bereits erbrachten Opfers.

FH4: *Wäre es nicht wirtschaftlicher gewesen, wenn Jesus nur für die Sünden gelitten hätte, für die die Menschen Vergebung erbitten, statt für die Sünde der ganzen Welt?*

AH4: Nach dem Gesetz Gottes steht auf Sünde das Gericht des Todes (Röm 6,23). Nehmen wir einmal an, es hätte sich aufgrund des Evangeliums von Jesus Christus in der gesamten Weltgeschichte nur ein Mensch bekehrt, dann wäre auch für diesen einen der Tod der Preis der Sünde. Dem Gedanken von *Hermann Bezzel* kann sich der Autor anschließen, daß die Liebe Jesu so groß war, daß er die Rettungsaktion auch für nur einen bußwilligen Sünder durchgeführt hätte. Die erwirkte Erlösungstat des Sohnes Gottes ist aber andererseits von einer solchen Dimension, daß sie für alle Menschen ausreicht. Darum konnte Johannes der Täufer sprechen: „Siehe, das ist Gottes Lamm, welches der Welt Sünde trägt" (Joh 1,29). Die Vergebung kann nun jeder annehmen, der es will. Die folgende Begebenheit kann uns dies verdeutlichen:

Ein wohlhabender irischer Großgrundbesitzer hielt den auf seinen Gütern beschäftigten Leuten einmal eine sehr originelle Predigt. Er gab an allen wichtigen Plätzen seiner weiten Ländereien folgende Meldung bekannt:

> „Am kommenden Montag bin ich in der Zeit von zehn bis zwölf Uhr im Büro meines Landhauses anzutreffen. In dieser Zeit bin ich bereit, alle Schulden meiner Landarbeiter zu bezahlen. Die unbezahlten Rechnungen sind mitzubringen."

Dieses ungewöhnliche Angebot wird tagelang zum Gesprächsstoff. Manche halten es für einen üblen Schwindel, andere vermuten einen Haken darin, denn niemals ist bisher derartiges offeriert worden. Der angekündigte Tag rückt heran. Zahlreiche Leute finden sich ein. Pünktlich um zehn tritt der Gutsherr ein und verschwindet wortlos hinter seiner Bürotür. Niemand wagt es, einzutreten. Vielmehr diskutiert man unentwegt über die Echtheit der Unterschrift und die Motive des Chefs. Um halb zwölf schließlich erreicht ein altes Ehepaar das Büro.

Der alte Mann mit einem Bündel Rechnungen in der Hand erkundigt sich mit zitternder Stimme, ob hier die Schulden bezahlt werden. Er wird verhöhnt: „Bis jetzt hat er noch nichts bezahlt!" Ein anderer: „Es hat auch noch keiner versucht, aber wenn er es wirklich tut, dann kommt schnell und informiert uns." Dennoch wagen es die beiden Alten. Sie werden freundlich empfangen, die Beträge werden addiert, und sie erhalten einen vom Gutsherrn unterzeichneten Scheck über die Gesamtsumme. Als sie gerade voller Dankbarkeit das Büro verlassen wollen, sagt er: „Bleiben Sie bitte noch bis 12 Uhr hier, wenn ich das Büro schließe." Die beiden Alten verweisen auf die wartende Menge da draußen, die von ihnen hören will, ob das Angebot wahr sei. Es bleibt beim strikten Nein: „Sie haben mich beim Wort genommen, und die da draußen müssen das gleiche tun, wenn sie ihre Schulden beglichen haben wollen." Das Angebot des Gutsbesitzers galt für alle seine Leute, und sein Konto reichte aus, um alle Schulden zu tilgen. Schuldenfrei wurde aber nur das eine Ehepaar, das seinem Wort vertraute.

(Quelle: *F. König, „Du bist gemeint", S. 127 ff. stark gekürzt*).

So würde der Tod Jesu zur Erlösung aller Menschen ausreichen: „Wie nun durch eines (= Adam) Sünde die Verdammnis über alle Menschen gekommen ist, so ist auch durch eines (= Jesu) Gerechtigkeit die Rechtfertigung zum Leben für alle Menschen gekommen" (Röm 5,18). Das Rettungsangebot gilt jedem, und darum darf es jedem Menschen verkündigt werden. Errettet werden aber nur so viele, wie es im Vertrauen auf das Wort Jesu wagen und ihn persönlich annehmen.

FH5: *Aufgrund des Opfertodes Jesu Christi bietet Gott allen Menschen die Vergebung der Sünden an. Warum gibt Gott nun nicht eine Generalamnestie für die Sünden aller Menschen?*

AH5: Aufgrund des Kreuzestodes Jesu bietet Gott allen Menschen das Heil an, darum konnte Paulus auf dem Aeropag so allumfassend predigen: „Die Zeit der Unwissenheit zwar hat Gott übersehen; nun aber gebietet er den Menschen, daß **alle**

an allen Enden Buße tun" (Apg 17,30). Es muß nun niemand mehr wegen seiner Sündenlast verlorengehen. Jeder Sünder kann begnadigt werden. Wenn sogar einem Paulus, der die Gemeinde Jesu ausrotten wollte, vergeben werden konnte, wieviel mehr jedem anderen auch. Von den beiden mit dem Herrn Jesus gekreuzigten Schächern wurde nur der eine gerettet, der mit seiner Schuld zu ihm kam. Der andere blieb in der Ablehnung und im Spott zu Jesus und damit auch in seinen Sünden. Daraus sehen wir: Gott verfügt keine Generalamnestie, sondern er handelt nach der freien Willensentscheidung jedes einzelnen:

> „Das (ewige) Leben und den (ewigen) Tod habe ich euch vorgelegt, den Segen und den Fluch. So wähle denn das (ewige) Leben, damit du am Leben bleibst" (5 Mo 30,19; *Menge*).
> „Wisset wohl: ich (Gott) lasse euch die Wahl zwischen dem Wege, der zum (ewigen) Leben führt, und dem Wege zum (ewigen) Tode" (Jer 21,8; *Menge*).

Wer die Vergebung wirklich sucht, dem wird sie auch trotz größter Verfehlungen zuteil: „Und wenn eure Sünde blutrot wäre, ..." (Jes 1,18). Zugespitzt können wir es auch so formulieren: Der Mensch geht nicht an der Sünde verloren, sondern an seinem Willen, d. h. an seiner Unbußfertigkeit. In Gottes Himmel gibt es einmal nur Freiwillige und keine Zwangseinquartierten.

FH6: *Es gibt meiner Meinung nach auch nach dem Tode noch die Möglichkeit der Rettung. Die Gnade Gottes muß doch größer sein als das, was Sie vorgetragen haben?*

AH6: Diese Frage wird sehr häufig gestellt, weil sie uns wirklich zutiefst bewegt, wenn wir echt um die Errettung von Menschen bangen, die uns persönlich nahestehen bzw. -standen. Es tun sich in der Tat viele Fragen auf: Was ist mit den Menschen,

- die nur in verwässerter oder entstellter Weise von Jesus Christus gehört haben?

- die in ihren Kirchen als christliche Botschaft ausschließlich diesseitig orientierte, häufig politisch eingefärbte Vorstellungen zu hören bekamen und dann das Thema Christsein ganz abgehakt haben?
- die sich einen christlichen Schein gaben, aber im Kern ihres Lebens anders orientiert waren als es die Bibel sagt?
- bei denen unsere evangelistischen Bemühungen offenbar ergebnislos blieben, weil wir nicht den Zugang zum Herzen des anderen fanden oder weil der andere das Evangelium nicht gewollt hat?
- die zum bewußten Atheismus oder in Sekten mit falschen Lehren erzogen wurden?
- Was ist mit den vielen jungen Leuten unserer Tage, denen ausgerechnet im Religionsunterricht der Schule eine angebliche Unglaubwürdigkeit der Bibel vermittelt wird und die sich deswegen nie mehr in ihrem Leben mit Fragen des Glaubens beschäftigen?
- Was ist schließlich mit den Menschen, die ohne ihr Verschulden nie die Gelegenheit hatten, im Einflußbereich des Evangeliums zu stehen?

Alle diese Fragen haben viele Grübler auf den Plan gerufen, und so sind die unterschiedlichsten Gruppen zu Antworten gekommen, die sich entweder auf eine Rettung nach dem Tode beziehen oder aber ein Verlorensein generell ausschließen. Nur einige der vielen sich untereinander widersprechenden Ideen wollen wir hier beispielhaft nennen:

1. Die *Allversöhner* behaupten, daß schließlich nach einer Zeit begrenzter Gerichte ohne jede Ausnahme alle selig werden: *Hitler* und *Stalin* ebenso wie die Freimaurer, die Nihilisten und die Spiritisten. (Ausführlicher in [G3, 69-71] behandelt).
2. Nach *katholischer Auffassung* kommen die Seelen der Toten, die noch der Läuterung bedürfen, ins Fegefeuer, ehe sie zum Himmel zugelassen werden. Diese Lehre wurde besonders durch *Augustinus* und Papst *Gregor d. Gr.* gefördert. Die Annahme, daß die Leiden der ‚Armen Seelen‘ im Fegefeuer durch Fürbitte der Lebenden abgekürzt werden können, ließ im Mittelalter das Ablaßwesen und das Fest Allerseelen entstehen.

3. Bei den *Mormonen* besteht die Möglichkeit, daß sich ihre Mitglieder stellvertretend für Verstorbene taufen lassen können, um dadurch Ungläubige – sogar aus früheren Generationen – zu retten.

4. Nach der Lehre der *Jehovas Zeugen* gibt es für die Menschen (außer den 144 000) weder einen Himmel noch eine Hölle. Für ihre Anhänger ist eine runderneuerte Erde statt einer ewigen Gemeinschaft mit Gott dem Vater und seinem Sohn Jesus Christus im Himmel vorgesehen. Die anderen bleiben im Grab, oder die Toten können durch das sog. „Loskaufopfer" freikommen.

5. Die *Neuapostolische Kirche* hat einen „Todesdienst" eingerichtet, wonach ihre selbsternannten Apostel bis in die Welt der Toten hineinwirken sollen. Die Vermittlung der diesseits gewirkten Heilsgaben an die Jenseitigen geschieht durch die verstorbenen Apostel, die drüben ihre „Erlösungsarbeit" fortsetzen.

6. Andere Gruppierungen wiederum vertreten eine Lehre, wonach die an Christus Gläubigen in den Himmel kommen, die Ungläubigen hingegen endgültig vernichtet werden, so daß sie nicht mehr existent sind.

7. Eine andere Auffassung bezieht sich auf die Textstelle in 1. Petrus 3,18–20, aus der manche Ausleger eine Verkündigung im Totenreich mit dem Ziel der Errettung ableiten. (Ausführlich in [G3, 146–153] behandelt).

Alle diese Auffassungen versuchen – sicherlich in guter Absicht – eine Hoffnung für die eingangs genannten Personengruppen zu geben. Alles Spekulieren hilft uns aber nicht weiter, und so wollen wir den befragen, der uns allein hierin helfen kann: Gott in seinem Wort. So gilt es anhand der biblischen Texte zu prüfen, ob es noch eine Rettungsmöglichkeit nach dem Tode gibt. Da es sich hierbei um eine äußerst wichtige Fragestellung handelt, können wir davon ausgehen, daß Gott uns in der Bibel darin nicht im Unklaren läßt (vgl. Satz B51 im Anhang, Teil I). Ebenso hilft uns allein die Schrift, Irrlehren in ihrem Kern zu erkennen, um nicht durch falsche Lehre verführt zu werden.

1. Nach dem Tod folgt das Gericht: Im Licht der Bibel erweisen sich alle Vorstellungen, wonach dem Menschen nach dem Tode noch eine Rettungsmöglichkeit angeboten wird, als Irrlichter menschlicher Phantasie, denn „es ist den Menschen gesetzt, einmal zu sterben, danach aber das Gericht" (Hebr 9,27). Das gilt für Leute, die in irgendeiner Form mit der Botschaft Gottes in Berührung gekommen sind ebenso wie für solche, die es nie gehört haben: „Wir werden alle vor dem Richterstuhl Gottes dargestellt werden" (Röm 14,10). Dieses Gericht hat Gott dem Sohn übergeben. Beurteilt wird nicht, was jenseits der Todesmauer noch geschehen ist, sondern nur das im Hier und Heute Erwirkte „auf daß ein jeglicher empfange, wie er gehandelt hat bei Leibesleben, es sei gut oder böse" (2 Kor 5,10). Von diesem Gerichtstermin ist niemand ausgenommen: Gläubige, Gleichgültige, Freidenker, Verführte, Heiden... kurz: der gesamte Erdkreis (Apg 17,31).

2. Die Gerichtskriterien: Die Kriterien des göttlichen Gerichts unterliegen keiner Willkür; niemand wird bevorzugt oder benachteiligt (1 Petr 1,17; Röm 2,11). Die Maßstäbe hat uns Gott bekanntgegeben. Wir werden ausschließlich nach den biblisch offenbarten Regularien beurteilt: „Das Wort, welches ich geredet habe, das wird ihn richten am Jüngsten Tage" (Joh 12,48). So wollen wir die wichtigsten Kriterien aus der Schrift zusammenstellen:

a) *Nach Gottes Gerechtigkeit:* Wir dürfen gewiß sein: „Gott verdammt niemand mit Unrecht" (Hiob 34,12), denn er ist ein gerechter Richter (2 Tim 4,8). Hier gibt es keine Verdrehungen und Entstellungen, weil Wahrheit und Gerechtigkeit voll zum Zuge kommen: „Ja, Herr, allmächtiger Gott, deine Gerichte sind wahrhaftig und gerecht" (Offb 16,7).

b) *Nach dem Maß des uns Anvertrauten:* Kein Mensch ist dem anderen gleich, und jedem ist unterschiedlich viel anvertraut. Die nicht evangelisierten Heiden haben eine geringere Erkenntnis von Gott, nämlich nur aus der Schöpfung (Röm 1,20) und vom Gewissen her (Röm 2,15), als jene Menschen, die das Evangelium hören konnten. Einem Reichen stehen andere Möglichkeiten zur Verfügung, Gutes zu tun und die Ausbreitung des Evangeliums zu unterstützen als einem Armen. Ein mit mancherlei geistigen Fähigkeiten Begabter steht in einer besonderen Verantwortung. Es ist ein Unterschied, ob jemand in einer Diktatur mit zahlreichen Einschränkungen leben mußte oder in einem freien Land wirken konnte. Der Herr sagt in Lukas 12,48: „Denn welchem viel gegeben ist, bei dem wird man viel suchen, und welchem viel befohlen ist, von dem wird man viel fordern."

c) *Nach unseren Werken:* Gott kennt die Handlungen eines jeden, und „er wird geben einem jeglichen nach seinen Werken" (Röm 2,6). Werke sind sowohl die ausgeführten Taten (Mt 25, 34-40) als auch die unterlassenen (Mt 25,41-46). Die Handlungen aller Menschen sind in den Büchern Gottes verzeichnet und bilden die Grundlage der Bewertung im Gericht (Offb 20,12-13).

d) *Nach unserer Frucht:* Alles, was wir im Namen Jesu tun (Lk 19,13), – unser Verhalten, unser Wirken – deutet die Bibel als unvergängliche Frucht (Joh 15,16). Diese ist ein grundlegender Beurteilungsmaßstab im Gericht (Lk 19,16-27). Während alle toten Werke verbrennen (1 Kor 3,15), wird alles Bleibende belohnt (1 Kor 3,14).

e) *Nach unserer Liebe:* Die Liebe ist eine besondere Frucht, denn sie ist die größte (1 Kor 13,13). Sie ist des Gesetzes Erfüllung (Röm 13,10). Gemeint ist hier, was wir in der Liebe zu Gott (Mt 22,37) und in der Liebe zu Jesus (Joh 21,15) getan haben. Die selbstlose Liebe ist zu unterscheiden von der berechnenden Liebe: „Denn wenn ihr liebt, die euch lieben, was werdet ihr für Lohn haben?" (Mt 5,46). Der Pharisäer Simon hatte Jesus in sein Haus geladen, aber er gab ihm noch nicht einmal Wasser, um die Füße zu waschen (Lk 7,44). Die Sünderin salbte seine Füße mit kostbarer Salbe. Sie empfing viel Sündenvergebung, darum hat sie dem Herrn viel Liebe erzeigt (Lk 7,47). Die Liebe ist eine Frucht des Geistes (Gal 5,22); sie hat Ewigkeitsbedeutung.

f) *Nach unseren Worten:* Nach der Aussage Jesu haben unsere Worte ewigkeitsentscheidenden Charakter. Dieser Aspekt im Gericht ist uns vielleicht am wenigsten bewußt:

„Ich sage euch aber, daß die Menschen müssen Rechenschaft geben am Tage des Gerichts von einem jeglichen nichtsnutzigen Wort, das sie geredet haben. Aus deinen Worten wirst du gerechtfertigt werden, und aus deinen Worten wirst du verdammt werden" (Mt 12,36-37).

g) *Nach unserer Verantwortlichkeit:* Von unserer schöpfungsmäßigen Persönlichkeitsstruktur sind wir auf Verantwortung hin angelegt. Gott hat uns einen großen Freiraum zugebilligt, in dem wir selbst die Verantwortung tragen. Auch im Falle der Verführung sind wir für unser Tun verantwortlich. Obwohl Adams Ungehorsam nicht aus eigenem Willen, sondern durch Verführung geschah, mußte er dennoch die Folgen tragen. Weil Glaubensverführung in Verlorenheit endet, sind die biblischen Mahnungen hier besonders eindringlich (z. B. Mt 24,11-13; Eph 4,14; Eph 5,6; 2 Tim 2,16-18). Aus diesem Grunde dürfen die Irrlehren der Sekten in ihrer Auswirkung nicht unterschätzt werden.

h) *Nach unserer Stellung zu Jesus Christus:* Unser persönliches Verhältnis zu dem Sohn Gottes gibt den alles entscheidenden Ausschlag: „Wer an den Sohn glaubt, der hat das ewige Leben. Wer dem Sohn nicht glaubt, der wird das Leben nicht sehen, sondern der Zorn Gottes bleibt über ihm" (Joh 3,36). Die Sünde brachte die Verdammnis über alle Menschen (Röm 5,18). Der einzige Ausweg daraus ist unsere Bindung an Christus: „So gibt es nun keine Verdammnis für die, die in Christus Jesus sind" (Röm 8,1).

3. Das Urteil im Gericht: Nach den o.g. Kriterien wird jedermann individuell beurteilt. Es wird kein Aspekt im Leben eines Menschen übersehen. Wie lautet das Gesamturteil? Es wird eine Zweiteilung der Menschheit geben, die Jesus im Diesseits als Einladung formuliert:
„Gehet ein durch die enge Pforte. Denn die Pforte ist weit, und der Weg ist breit, der zur Verdammnis führt, und ihrer sind viele, die darauf wandeln. Und die Pforte ist eng, und der Weg ist schmal, der zum Leben führt, und wenige sind ihrer, die ihn finden" (Mt 7,13-14).

Es gibt keinen „goldenen Mittelweg" für die Unentschiedenen und keinen neutralen Aufenthaltsort zwischen Himmel und Hölle. Am Ende – wie schon in diesem Leben erkennbar – wird nur zwischen Geretteten und Verlorenen unterschieden. Der einen Gruppe wird der Herr sagen: „Kommt her, ihr Gesegneten meines Vaters, ererbet das Reich, das euch bereitet ist von Anbeginn der Welt" (Mt 25,34) und die andere bekommt zu hören: „Ich kenne euch nicht, wo ihr her seid... weichet alle von mir" (Lk 13,25+27). In der letzten Gruppe befinden sich nicht nur die Freidenker und Heiden, sondern auch Menschen, die um die Botschaft Jesu wußten, aber ihm nicht im Gehorsam gedient haben. Erstaunt rufen sie aus: „Wir haben vor dir gegessen und getrunken, und auf unseren Gassen hast du gelehrt" (Lk 13,26).

4. Unsere Konsequenzen: Nach dem Tode gibt es – biblisch gesehen – keine Rettungsmöglichkeit mehr. Die Entscheidung fällt in diesem Leben, darum sagt der Herr Jesus: „Ringet danach, daß ihr durch die enge Pforte eingehet!" (Lk 13,24). Im Gericht werden die Bücher Gottes mit allen Details über unser diesseitiges Handeln aufgetan (Offb 20,12). Wohl dem, der dann im Buch des Lebens steht. Die nichtchristlichen Religionen haben keine rettende Kraft. Wie viele Menschen gerettet werden, die die Frohe Botschaft nie vernahmen, sich aber nach Gott ausgestreckt (Apg 17,27) und nach dem ewigen Leben getrachtet haben (Röm 2,7), wissen wir nicht. Für uns aber, die wir das Evangelium gehört haben, gibt es einmal keine Entschuldigung und kein Entrinnen (Hebr 2,3), wenn wir an dem Heil vorübergehen. Wir haben die Chance der Rettung gehabt. Wie dieses Heil angenommen werden kann, ist im Anhang (Teil I, Pkt. 10) ausführlich dargelegt.

FH7: *Was ist mit den Kindern, die zu früh gestorben sind, um je eine Entscheidung treffen zu können? Was ist mit Abgetriebenen oder Geisteskranken? Sind sie verloren?*

AH7: Grundlegend ist hier zunächst die Frage, von welchem Zeitpunkt an ein Embryo als Mensch anzusehen ist. Glaubt man säkularen Zeitströmungen, so gewinnt man den Eindruck, dies sei in die Beliebigkeit individueller Auffassungen oder des staatlichen Gesetzgebers gestellt. Suchen wir verläßliche Maßstäbe für den Beginn des Menschseins, so finden wir sie in der Bibel. Die individuelle Menschwerdung setzt mit dem Verschmelzen der männlichen Samenzelle mit der weiblichen Eizelle ein. Bei jeder Embryonalentwicklung haben wir es mit dem direkten Eingriff des Schöpfers zu tun: „Denn du hast meine Nieren bereitet und hast mich gebildet im Mutterleibe. Ich danke dir dafür, daß ich wunderbar gemacht bin; wunderbar sind deine Werke, und das erkennt meine Seele wohl" (Ps 139,13-14). Bei der Berufung des Jeremia verweist Gott darauf, daß er ihn schon längst vor seiner Geburt als Persönlichkeit ansah und ihn für die ihm zugedachte Aufgabe auserwählt hatte: „Ich kannte dich, ehe du von der Mutter geboren wurdest und stellte dich zum Propheten unter die Völker" (Jer 1,5).

Halten wir fest: Der Mensch ist ein Individuum von Anfang an und nach zahlreichen biblischen Texten (z. B. Lk 16,19-31; Hebr 9,27) ein Ewigkeitsgeschöpf, dessen Existenz nie ausgelöscht wird.

Wo aber bleibt der Mensch, nachdem er das Tal des Todes durchschritten hat? Eindeutig ist der Fall bei all jenen Menschen, die das Evangelium gehört haben und in der Lage waren, eine Entscheidung zu treffen. Auch der Wille Gottes ist eindeutig: „Der Herr ... hat Geduld mit euch und will nicht, daß jemand verloren werde, sondern daß sich jedermann zur Buße kehre" (2 Petr 3,9). Heil und Unheil hängen damit nur noch von unserem Willen ab. Wir haben die Freiheit, aufzubrechen zum Himmel oder zur Hölle. Beide Wege sind uns zur Entscheidung vorgelegt (5 Mo 30,19; Jer 21,8).

Die obigen Personengruppen aber verfügen nicht über den Willen, eine solche weitreichende Entscheidung zu treffen. Gemäß einer mittelalterlichen Irrlehre wurde die Auffassung, vertreten, daß die Seelen ungetaufter Kinder nach ihrem frühen Tod in die Verdammnis gingen. Hierbei handelt es sich um die unbiblische Lehre, daß die Taufe Unmündige errettet. Nach den zentralen biblischen Aussagen hat nicht die Taufe, sondern der Glaube an den Herrn Jesus rettende Kraft (Apg 16,31). Zur Beantwortung der obigen Frage hilft uns somit nicht die Kindertaufe weiter, die ja an Abgetriebenen ohnehin nicht möglich ist. Die Lösung finden wir im Maßstab Gottes: „Gott verdammt niemand mit Unrecht" (Hi 34,12), denn seine Gerichte sind absolut gerecht (Offb 16,7) und werden ohne Ansehen der Person durchgeführt (1 Petr 1,17; Röm 2,11). So dürfen wir gewiß sein, daß die vorgenannten Personen nicht der Verdammnis verfallen. Sie selbst tragen keinerlei eigene Schuld an ihrem Schicksal. Als zu Jesus Kleinkinder (und wohl auch Säuglinge) gebracht wurden, sahen die Jünger darin eine unnütze Belästigung des Herrn Jesu, da er einen anstrengenden Tag hinter sich hatte. Jesus aber stellt bei dieser Gelegenheit die Kinder in besonderer Weise als Erben des Himmelreiches heraus: „Laßt die Kinder zu mir kommen, hindert sie nicht daran, denn solchen gehört das Reich Gottes" (Mk 10,14; *Menge*).

FH8: *Mußte Judas nicht Jesus verraten, damit dadurch das Heil ermöglicht wurde?*

AH8: Es gilt festzuhalten: Das Heil wurde nicht durch Judas, sondern durch Jesus ermöglicht. Der Tod des Herrn Jesu war notwendig, damit das Heil für den Menschen erwirkt wurde. Ein absolut Sündloser mußte stellvertretend für den Sünder das Gericht über die Sünde ertragen. Nach dem Plan Gottes ist er „um unserer Sünde willen dahingegeben und um unserer Rechtfertigung willen auferweckt" (Röm 4,25). An der Durchführung der Kreuzigung vom Willen bis zur Tat waren viele Leute beteiligt, Juden wie Römer: Der Hohe Rat in Israel (Mk 14,64), die versammelte Volksmenge (Joh 19,7; Apg 13,28), Pilatus (Mk 15,15) und die römischen Soldaten (Mk 15,24). Auch Judas war durch den Verrat direkt daran mitbeteiligt. Es gab bei ihm kein „göttliches Muß" dazu, sondern es war seine eigene freie Entscheidung. Daß der Herr Jesus das freie Handeln des Judas vorausgesehen hat

(Joh 13,21-30) und daß es sogar im AT prophetisch detailliert geschaut wird (Sach 11,12-13), liegt an der göttlichen Allwissenheit, nicht jedoch in einem Zwang dazu. Die Motive des Judas sind aus den biblischen Texten nicht eindeutig zu erkennen. Der Gründer des Krelinger Rüstzentrums *Heinrich Kemner* formulierte sogar die Möglichkeit, daß Judas den Herrn in eine solche brenzlige Situation bringen wollte, damit er endlich seine Macht in Israel demonstrieren würde. Judas konnte sich danach nicht vorstellen, daß Jesus tatenlos seine Tötung zuläßt. Wenn auch viele Menschen zum Tode Jesu direkt beigetragen haben, so waren sie dennoch nicht die eigentlichen Verursacher, weil Jesus wegen der Sünde der gesamten Menschheit starb. Jeder einzelne von uns ist am Tode Jesu beteiligt, denn „er ist um unserer Missetat willen verwundet und um unserer Sünde willen zerschlagen. Die Strafe liegt auf ihm, auf daß wir Frieden hätten, und durch seine Wunden sind wir geheilt" (Jes 53,5).

Die Verleugnung Jesu vor einer unbedeutenden Magd durch Petrus ist durchaus vergleichbar mit dem Verrat Jesu durch Judas. Der wesentliche Unterschied dieser beiden Männer besteht nicht in ihrer Sünde, sondern in der Buße. Weil Petrus seine Verleugnung bereute (2 Kor 7,10: „göttliche Traurigkeit") und Buße tat, wurde ihm Vergebung zuteil. Auch Judas hätte Vergebung erlangt, wenn er sie an der richtigen Stelle – bei Jesus – gesucht hätte. Judas kehrte nicht zu seinem Herrn zurück, darum bleibt das „Wehe" über seiner Tat bestehen: „Denn des Menschen Sohn geht zwar hin, wie es beschlossen ist; doch weh dem Menschen, durch welchen er verraten wird" (Lk 22,22).

FH9: *Kann ich noch ein Kind in die Welt setzen, wenn die Möglichkeit, daß es verlorengeht, 50 % beträgt? (Frage einer jungen Frau, die gerade zum Glauben gekommen war)*

AH9: Viele Ehepaare möchten angesichts der zunehmenden Umweltverschmutzung oder der drohenden Kriegsgefahr bei dem heutigen weltweiten Rüstungspotential keine Kinder mehr in die Welt setzen. In den alten Bundesländern der Bundesrepublik haben wir derzeit eine negative Wachstumsrate, so daß die Bevölkerung bis zum Ende des Jahrtausends um zwei Millionen von 61 auf 59 Millionen schrumpft. Eine andere Sichtweise vermittelt *Luther* mit der Antwort auf die bekannte Frage, was er tun würde, wenn morgen die Welt unterginge: „Ich würde ein Apfelbäumchen pflanzen."

Die eingangs gestellte Frage bringt ein großes Verantwortungsbewußtsein zum Ausdruck, das die Ewigkeit nicht nur im Auge behält, sondern ihr Priorität vor allen vordergründigen Beweggründen einräumt. Zur Beantwortung sind zwei Einzelfragen zu klären: Was sagt uns die Bibel über die Kinderzahl, und wie beantwortet sie die Frage der Rettung unserer Kinder. Nach der Schöpfungsordnung Gottes sind wir als Mann und Frau geschaffen. Der erste von Gott erteilte Auftrag an den Menschen lautete: „Seid fruchtbar und mehret euch!" (1 Mo 1,28); dieser ist nie aufgehoben worden. Die Fähigkeit, zu zeugen und Kinder zu gebären, ist ebenso eine göttliche Gabe an den Menschen wie die Kinder selbst: „Siehe, Kinder sind eine Gabe des Herrn, und Leibesfrucht ist ein Geschenk" (Ps 127,3). Kinderreichtum wird als besonderer Segen gedeutet: „Wohl dem, der seinen Köcher derselben (mit Kindern) voll hat" (Ps 127,5). „Deine Frau wird sein wie ein fruchtbarer Weinstock drinnen in deinem Hause, deine Kinder wie Ölzweige um deinen Tisch her. Siehe, also wird gesegnet der Mann, der den Herrn fürchtet" (Ps 128,3-4). Gott schenkt uns nicht nur die Kinder (1 Mo 33,5), es ist ihm auch ein großes Anliegen, daß sie zu ihm hin erzogen werden:

> „So fasset nun diese Worte zu Herzen und in eure Seele ... und lehret sie eure Kinder, daß du davon redest, wenn du in deinem Hause sitzest oder auf dem Berge gehst, wenn du dich niederlegst oder wenn du aufstehst" (5 Mo 11,18-19).

Wenn wir diesen Ratschlag Gottes befolgen, wird die Frucht nicht ausbleiben: „Wie man einen Knaben gewöhnt, so läßt er nicht davon, wenn er alt wird" (Spr 22,6). So dürfen wir getrost Kinder haben, denn bei solcher Erziehung finden sie zum Glauben und werden gerettet. Es gilt die große Verheißung Gottes: „Ich liebe, die mich lieben; und die mich frühe suchen, finden mich" (Spr 8,17). Gott hat eine besondere Vorliebe für die Jugend, die sich zu ihm wendet: „Ich gedenke noch an die jugendliche Zuneigung, an die Liebe deiner Brautzeit, da du mir nachzogest in der Wüste, in einem unbekannten Lande" (Jer 2,2).

Als Gläubige dürfen wir getrost Kinder in die Welt setzen, denn die Möglichkeit, daß sie verlorengehen, ist keineswegs 50:50; Gottes Verheißung steht über ihnen, wenn wir sie biblisch prägen. Die Erfahrung vieler gläubiger Ehepaare belegt, daß die Kinder auch den Weg des Glaubens fanden, wenn sie von klein auf biblisch unterwiesen wurden.

FH10: *In der Bibel ist von der Erwählung des Menschen durch Gott die Rede. Haben wir dann noch einen freien Willen, wenn Entscheidungen über Rettung oder Verlorensein längst gefallen sind?*

AH10: Vor allem von *Augustinus* und *Calvin* ist die sog. Prädestinationslehre (lat. *praedestinatio* = Vorherbestimmung) vertreten worden. Es ist eine Lehre, die von der göttlichen Vorherbestimmung ausgeht, daß die Menschen entweder zum Glauben oder zum Unglauben, zum Heil oder zum Verderben vorgesehen sind. Wegen dieser zweifachen Möglichkeit spricht man von der „doppelten Prädestination". Diesen Gedanken gilt es, an der Bibel zu prüfen.

In den Antworten zu den vorangegangenen Fragen wurde besonders die Freiheit des Menschen bezüglich seiner Entscheidung herausgestellt. Dabei könnte der Eindruck entstehen, als sei der Mensch der allein Handelnde und Gott würde sich dabei völlig passiv verhalten. Das aber ist dem biblischen Zeugnis nicht angemessen. In Römer 9,16+18 lesen wir: „So liegt es nun nicht an jemandes Wollen oder Laufen, sondern an Gottes Erbarmen. So erbarmt er sich nun, wessen er will, und verstockt, welchen er will." Hier liegt die Betonung eindeutig im Handeln Gottes. Der Mensch befindet sich ebenso in der aktiven und frei gestaltenden Hand des Schöpfers wie der Ton in des Töpfers formender Hand: „Ja, lieber Mensch, wer bist du denn, daß du mit Gott rechten willst? Spricht auch ein Werk zu seinem Meister: Warum machst du mich so? Hat nicht ein Töpfer Macht, aus einem Klumpen zu machen ein Gefäß zu Ehren und das andere zu Unehren?" (Röm 9,20-21). Wir haben somit keinerlei Anspruch auf das Heil. Die freie Entscheidung des Menschen ist immer gepaart mit der freien Erwählung durch Gott. Der Gedanke der Erwählung wird insbesondere durch die folgenden Bibelstellen belegt:

Mt 22,14: „Denn viele sind berufen, aber wenige sind auserwählt."

Joh 6,64-65: „Aber es sind etliche unter euch, die glauben nicht. Denn Jesus wußte von Anfang wohl, wer die waren, die nicht glaubten und wer ihn verraten würde. Und er sprach: Darum habe ich euch gesagt: Niemand kann zu mir kommen, es sei ihm denn von meinem Vater gegeben."

Eph 1,4-5: „Denn in ihm (= Jesus) hat er uns erwählt, ehe der Welt Grund gelegt war, daß wir sollten heilig und unsträflich sein vor ihm; in seiner Liebe hat er uns dazu verordnet, daß wir seine Kinder seien."

Röm 8,29-30: „Denn welche er zuvor ersehen hat, die hat er auch verordnet, daß sie gleich sein sollten dem Ebenbilde seines Sohnes. Welche er aber verordnet hat, die hat er auch berufen; welche er aber berufen hat, die hat er auch gerecht gemacht; welche er aber hat gerecht gemacht, die hat er auch herrlich gemacht."

Apg 13,48: „Da das die Heiden hörten, wurden sie froh und priesen das Wort des Herrn und wurden gläubig, wieviel ihrer zum ewigen Leben verordnet waren."

Bezüglich des biblischen Verständnisses von der Erwählung sind folgende Aspekte von grundlegender Bedeutung:

1. *Zeitpunkt:* Die Erwählung geschieht in einem weiten zeitlichen Rückgriff, der in jedem Falle vor unserer Existenz liegt:

Vor Grundlegung der Welt (Eph 1,4), vor der Zeugung (Jer 1,5) und von Anfang an (2 Thess 2, 13).

2. *Dienst:* Die Erwählung beinhaltet stets den Dienst für Gott. So erwählt Gott z. B. Salomo, um den Tempel zu bauen (1 Chr 28,10), den Stamm Levi zum priesterlichen Dienst (5 Mo 18,5); Jesus erwählt die Jünger zum Apostelamt (Lk 6,13; Apg 1,2), Paulus wird das „auserwählte Rüstzeug" zur Heidenmission (Apg 9,15), und alle Gläubigen sind dazu erwählt, Frucht zu bringen (Joh 15,16).

3. *Ohne Ansehen der Person:* Die Erwählung geschieht nicht nach menschlichen Verdiensten oder Maßstäben. Vielmehr sieht Gott auf das Geringe: Israel ist das kleinste Volk (5 Mo 7,7), Mose ist nicht redegewandt (2 Mo 4,10), Jeremia hält sich noch für zu jung (Jer 1,6), und zur Gemeinde Jesu gehören meist die Unbedeutenden dieser Welt (1 Kor 1,27-28).

4. *Zum Heil, aber nicht zum Unheil:* Woran ist Gott gelegen – an unserem Heil oder Unheil? Seine Absicht teilt uns Gott eindeutig mit: „Wie ein Hirte seine Schafe sucht, wenn sie von seiner Herde verirrt sind, so will ich meine Schafe suchen" (Hes 34,12). Jesus faßt den Grund seines Kommens in diese Welt in den Satz: „Des Menschen Sohn ist gekommen, selig zu machen, was verloren ist" (Mt 18,11). Gott macht sich in Jesus selbst auf die Suche, um Menschen für das ewige Leben zu gewinnen. Der Wille Gottes zur Errettung ist auf die gesamte Menschheit gerichtet: „Gott will, daß allen Menschen geholfen werde und sie zur Erkenntnis der Wahrheit kommen" (1 Tim 2,4). Dieser Wille Gottes ist auch in 1. Thessalonicher 5,9 offenbart: „Gott hat uns nicht bestimmt zum Zorn, sondern dazu, das Heil zu erlangen." Es wird deutlich: Zwischen Errettung und Erwählung finden wir in der Schrift einen festen, untrennbaren Zusammenhang, hingegen gibt es zwischen Verdammnis und Erwählung keine solche Kopplung. Gott erwählt also niemand zur Verlorenheit. So verhärtet Gott das Herz des Pharao erst aufgrund seiner beharrlichen heidnischen Haltung, keineswegs war er vor seiner Geburt dazu vorherbestimmt. Daß es ein „Zuspät" gibt, bezeugt die Bibel immer wieder, aber eine Vorherbestimmung zur Hölle lehrt die Bibel nirgends. Herodes hatte mit der Hinrichtung Johannes des Täufers den Bogen seines Hörvermögens überspannt, so daß Jesus ihm nicht mehr antwortete (Lk 23,9).

Halten wir fest: Es gilt beides (komplementäre Aussage!): Gott erwählt Menschen zum Heil. Der Mensch wird jedoch in die Verantwortung gestellt, das Heil für sich in Anspruch zu nehmen. Als der verlorene Sohn den Entschluß ausführte „Ich will mich aufmachen und zu meinem Vater gehen" (Lk 15,18), lief der Vater ihm entgegen, um ihn anzunehmen (Lk 15,20). Wenn wir die Errettung in freier Entscheidung annehmen, wird an uns Gottes Verheißung wahr: Ich habe dich je und je geliebt (Jer 31,3), und ich habe dich bereits erwählt vor Grundlegung der Welt (Eph 1,4). Ehe wir uns für Gott entscheiden, hat er sich schon längst vor unserer Zeit für uns entschieden. Gott erwartet und respektiert unsere Willensentscheidung; aber ohne sein Erbarmen wäre keine Annahme möglich (Röm 9,16). Bei wie vielen Menschen die göttliche Erwählung (Phil 2,13) und der freie menschliche Wille (Phil 2,12) zusammenwirken, weiß nur der Herr.

FH11: *Können Sie mir (natur-)wissenschaftlich beweisen, daß es eine Hölle gibt? (Frage einer Gymnasiastin)*

AH11: Dem Aussagenfeld der Wissenschaft sind deutlich Grenzen gesetzt, die leider allzu oft übersehen werden. Die Erkenntnis- und Erklärungsmöglichkeiten reichen nur so weit, wie die Vorgänge der materiellen Welt sich messen lassen. Wo sie weder meßbar noch in Zahlen ausdrückbar sind, können diese Wissenschaften nichts mehr erklären. Die Naturwissenschaft darf somit die ihr gesteckte Grenze nicht überschreiten, sonst hört sie auf, Wissenschaft zu sein und wird zur bloßen Spekulation. So sind die Wissenschaften keine Informationsquelle, um etwas über die Herkunft oder das Ende der Welt zu erfahren. Auch über Fragen jenseits der Todesmauer kann uns keine Wissenschaft etwas vermitteln.

Wenn uns also die Wissenschaft nichts über die Existenz der Hölle sagen kann, so gibt es dennoch eine einzigartige Stelle, wo uns Gewißheit darüber vermittelt wird: Am Kreuz von Golgatha können wir die Wirklichkeit von Himmel und Hölle ablesen. Das Kreuz ist der beste Schriftausleger. Würden alle Menschen wie auf einem Fließband automatisch den Himmel erreichen, so wäre das Kreuz überflüssig. Gäbe es irgendeine Religion oder irgendeinen anderen Weg, um das Heil zu erreichen, dann hätte Gott seinen geliebten Sohn nicht am Kreuz verbluten lassen. Am Kreuz können wir es darum deutlich ablesen: Es gibt wirklich eine Hölle. Der Herr Jesus tat hier alles, damit wir von der Hölle befreit werden. Ohne die Tat von Golgatha würden wir alle der Verdammnis verfallen (Röm 5,18). Das Geschehen am Kreuz können wir mit dem einen Satz zusammenfassen: „Hier rettet der Sohn Gottes vor der Hölle!" Es ist nie etwas Größeres für den Menschen getan als in der Tat auf Golgatha. Der Herr Jesus predigte eindringlich über Liebe und Barmherzigkeit, Gnade und Gerechtigkeit, einladend über den Himmel, aber mit besonderem Ernst sprach er über die Hölle. Er bezeichnet sie als einen bodenlosen Abgrund, einen Ort „wo ihr Wurm nicht stirbt und ihr Feuer nicht verlöscht" (Mk 9,44) und als einen Ort „ewiger Pein" (Mt 25,46). Im Wissen dieser Realität warnt er mit nicht zu steigernder Eindringlichkeit, damit wir nicht dorthin gelangen:

> „Wenn dir aber dein rechtes Auge Ärgernis schafft, so reiß es aus und wirf's von dir. Es ist dir besser, daß eines deiner Glieder verderbe und nicht der ganze Leib in die Hölle fahre" (Mt 5,29-30).
> „Es ist dir besser, daß du zum Leben lahm oder als Krüppel eingehst, als daß du zwei Hände oder zwei Füße habest, und werdest in das ewige Feuer geworfen" (Mt 18,8).

5. Fragen bezüglich der Religionen (FR)

Das Wesen der Religionen: Aus den Werken der Schöpfung kann jedermann auf den notwendigen Schöpfer schließen (Röm 1,19-21). Seit dem Sündenfall weist das Gewissen auf den von Gott getrennten Zustand und das schuldhafte Verhalten des Menschen hin: „Denn sie (= die Heiden) beweisen, des Gesetzes Werk sei geschrieben in ihren Herzen, da ja ihr Gewissen es ihnen bezeugt, dazu auch die Gedanken, die sich untereinander verklagen oder auch entschuldigen" (Röm 2,15). In *eigenem* Denken und Wollen haben alle Völker die Rückbindung an Gott gesucht und entwickelten dabei die unterschiedlichsten Religionen. Das Wort *Religion* stammt von dem lateinischen *religio* (= Gewissenhaftigkeit, Gottesfurcht), das sich wohl von dem Verb *re-ligiare* (= an-, zurückbinden) herleitet. Diese Anbindung wird im wesentlichen durch zwei alle Religionen kennzeichnende Charakteristika versucht: durch mancherlei menschlich ersonnene Vorschriften (z. B. Opferriten) und durch für wichtig erachtete Gegenstände (z. B. Buddhafiguren, Gebetsmühlen, die Kaaba in Mekka). Als Religion bezeichnen wir im folgenden alle menschlichen Anstrengungen, zu Gott zu kommen. Beim Evangelium hingegen ist es umgekehrt: Gott selbst handelt und kommt auf den Menschen zu. In Konsequenz dazu bezeichnen wir den biblischen Weg nicht als Religion (ausführlicher in [G3] behandelt).

FR1: *Es gibt so viele Religionen. Diese können doch nicht alle falsch sein. Ist es nicht vermessen, wenn das Christentum behauptet, der einzige Weg zum ewigen Leben zu sein?*

AR1: Keine Religion rettet, auch nicht die christliche, wenn sie sich als Religion gebärdet. Es gibt nur einen Gott, nämlich den, der Himmel und Erde gemacht hat. Nur die Bibel berichtet von diesem Gott. Nur er kann uns darum verbindlich sagen, was zu unserer Rettung dient. Wäre irgendeine Religion in der Lage, uns vor der ewigen Verlorenheit retten zu

können, so hätte Gott uns diese genannt. Der Kreuzestod Jesu
wäre dann nicht erforderlich gewesen. Da aber das Opfer von
Golgatha erbracht wurde, war es zur Rettung unbedingt nötig.
Somit gibt uns das Kreuz Jesu den eindeutigen Hinweis, daß
es keine billigere Methode gab, um die Sünde vor dem heiligen Gott zu tilgen. Im Kreuzestod Jesu hat Gott unsere Sünde gerichtet, so daß uns nun allein die persönliche Hinwendung zu Jesus Christus und die Übergabe unseres Lebens an
ihn retten. In allen Religionen muß sich der Mensch durch eigene Anstrengung selbst erlösen; nach dem Evangelium hat
Gott alles durch seinen eigenen Sohn getan, und der Mensch
nimmt das Heil nur noch im Glauben in Empfang. Darum
heißt es in Apostelgeschichte 4,12 auch so ausschließlich: „In
keinem andern ist das Heil, ist auch kein anderer Name (außer Jesus) unter dem Himmel den Menschen gegeben, darin
wir sollen selig werden." Außer Jesus gibt es keine andere
Brücke in den Himmel!

Alle Religionen sind nur glitzernde Fata Morganen in der Wüste einer verlorenen Menschheit. Einem Verdurstenden hilft
kein Wahnbild einer Wasserquelle. Ebenso bringt die Tole-
ranzidee gegenüber allen Phantasiegebilden den Menschen
letztlich zu Tode (Spr 14,12). Er braucht frisches Wasser. Die
Bibel zeigt mit großer Eindeutigkeit auf die einzige reale
Oase, auf die einzige Überlebenschance, auf Jesus Christus:

> „Ich bin der Weg, die Wahrheit und das Leben, niemand
> kommt zum Vater denn durch mich" (Joh 14,6).
> „Einen anderen Grund kann niemand legen außer dem,
> der gelegt ist, welcher ist Jesus Christus" (1 Kor 3,11).
> „Wer den Sohn hat, der hat das Leben; wer den Sohn
> Gottes nicht hat, der hat das Leben nicht" (1 Joh 5,12).

FR2: *Beten wir, d. h. die Christen und die Moslems, nicht alle
zu ein und demselben Gott? (Frage eines Moslem)*

AR2: „Darf ich eine Gegenfrage stellen: Ist Ihr Gott Allah der
Vater Jesu Christi?" – „Nein, Allah hat keinen Sohn. Das

wäre ja eine Gotteslästerung!" – „Sehen Sie, dann sind auch Ihr Gott und mein Gott nicht derselbe Gott." Angesichts der vielen Religionen drängt sich auch vielen anderen die tolerante Frage auf, ob sie nicht letztlich alle ein und denselben Gott verehren. Schon zu alttestamentlicher Zeit bezeugt sich der Gott der Bibel als der einzige: „Ich bin der Erste, und ich bin der Letzte, und außer mir ist kein Gott" (Jes 44,6); „Ich, ich bin der Herr, und ist außer mir kein Heiland" (Jes 43,11). Dieser lebendige Gott ist der Gott Abrahams, Isaaks und Jakobs (Mt 22,32); er ist der Vater Jesu Christi (Mk 14,36a). Auf folgende Unterschiede zwischen Allah und dem Vater Jesu Christi ist hier zu verweisen:

1. *Das Verhältnis zwischen Gott und den Menschen:* Im Islam offenbart sich Gott überhaupt nicht. Er bleibt in unerreichbarer Ferne. Der ständige Ruf „Allahu akbar" – Gott ist der immer noch Größere – manifestiert: Man kann in kein persönliches Verhältnis zu ihm treten. Allah bleibt immer jenseitig, wie ein orientalischer Herrscher hoch über seinen Untertanen thronend.

2. *Vater-Kind-Beziehung:* Für den Muslim sind Begriffe wie die Gotteskindschaft des Menschen und das Vatersein Gottes („Abba, lieber Vater", Röm 8,15) nicht nur unverständlich, sondern sogar gotteslästerlich, denn Allah ist von dieser Welt strikt getrennt.

3. *Gott als Mensch:* Das zentrale Ereignis der biblischen Heilsgeschichte ist die Menschwerdung Gottes in Jesus Christus. Gott wandelte nicht nur unter uns, er durchlitt alle Sünde bis zum Tode am Kreuz. Die daraus folgende Erlösung des Menschen ist für den Islam nicht nachvollziehbar.

4. *Gottes Barmherzigkeit und Liebe:* Wenn Gott gegenüber dem Sünder barmherzig sein kann, dann ist der Preis dafür unvorstellbar groß: „Ja, mir hast du Arbeit gemacht mit deinen Sünden und hast mir Mühe gemacht mit deinen Missetaten" (Jes 43,24). Gott ist barmherzig zu uns, weil er uns teuer erkauft hat (1 Kor 6,20; 1 Petr 1,19). Die Barmherzigkeit Allahs kostet nichts; sie ist willkürlich.

5. *Gott ist unsere Zuversicht:* Undenkbar ist im Islam ein Gott, der uns Zuflucht, Geborgenheit, Frieden und Heilsgewißheit schenkt: „Denn ich bin gewiß, daß weder Tod noch Leben... uns scheiden kann von der Liebe Gottes, die in Christus Jesus ist, unserem Herrn" (Röm 8,39). Undenkbar sind im Islam die Selbsterniedrigung Gottes bis zum Kreuz und der Heilige Geist, der ausgegossen ist in unsere Herzen, undenkbar auch die Wiederkunft Jesu in Macht und Herrlichkeit.

Der Gott des Koran und der Gott der Bibel mögen hier und da verbale Ähnlichkeiten zeigen. Bei näherem Hinschauen gibt es keine Gemeinsamkeiten zwischen ihnen. Darum ist es auch nicht derselbe Gott, zu dem Moslems und Christen beten.

FR3: *Woran kann ich erkennen, daß das Evangelium keine Religion, sondern göttlichen Ursprungs ist?*

AR3: Schon einige markante Unterschiede zwischen den Religionen und dem Evangelium können uns in der Wahrheitsfrage weiterhelfen:

1. In allen Religionen versucht der Mensch von sich aus, Gott zu erreichen, aber kein Sucher kann echt bezeugen: „Ich habe eine persönliche Beziehung zu Gott gefunden, ich habe Frieden im Herzen, meine Schuld ist vergeben, ich habe die Gewißheit des ewigen Lebens." Im Evangelium von Jesus Christus wendet sich Gott zu uns. Er überbrückt mit dem Kreuz die Kluft der Sünde und schenkt uns Erlösung. Wer dies annimmt, kann bezeugen: „Denn ich bin gewiß, daß weder Tod noch Leben... kann uns scheiden von der Liebe Gottes" (Röm 8, 38-39).

2. Die prophetischen Ankündigungen des Heilsbringers im AT (z.B. 1 Mo 3,15; 4 Mo 24,17; Jes 11,1-2; Jes 7,14) erfüllen sich wortwörtlich. In keiner Religion gibt es derartige Prophetien mit Ankündigung und Erfüllung.

3. Gott hat alle Religionen als Götzendienst und Zauberei (1 Kor 6,9-10; Offb 21,8) verurteilt. Keine der vielen Religionen hat rettenden Charakter (Gal 5,19-21). Würde es eine solche geben, die retten könnte, dann hätte Jesus uns diese empfohlen, und er hätte nicht den bitteren Kreuzestod sterben müssen. Der Sohn Gottes aber ging ans Kreuz, um die einzige Rettungsmöglichkeit zu erwirken. Darum sagte er in Konsequenz: „Geht hinaus in Welt und verkündigt es allen Menschen!"

4. Gott beglaubigte das Opfer Jesu Christi durch seine Auferstehung von den Toten (Röm 4,24-25). Es ist das einzige bleibend leere Grab der Weltgeschichte: „Was suchet ihr den Lebendigen bei den Toten? Er ist nicht hier; er ist auferstanden" (Lk 24,5-6). Alle Religionsgründer sind gestorben und im Tod geblieben. Nur Jesus konnte sagen: „Ich lebe, und ihr sollt auch leben" (Joh 14,19).

5. In allen Religionen versucht der Mensch, sich durch seine Handlungen zu erlösen. Das Evangelium hingegen ist die Tat Gottes (Jes 43,24b; Joh 3,16). Zum Erlösungswerk auf Golgatha kann der Mensch nichts beitragen.

6. Die Religionen gehen von einem falschen Menschenbild aus und zeichnen ebenso ein falsches Gottesbild. Nur die Bibel sagt uns, wer wir sind, und wer Gott ist. Aus uns selbst sind wir nicht in der Lage, uns so zu verändern, daß es Gott gefallen könnte, denn „wir mangeln des Ruhmes, den wir bei Gott haben sollten" (Röm 3,23).

7. In keiner Religion verläßt Gott den Himmel, um den Menschen zu erretten. In Jesus wurde Gott Mensch: „Und das Wort ward Fleisch und wohnte unter uns, und wir sahen seine Herrlichkeit, eine Herrlichkeit als des eingeborenen Sohnes vom Vater, voller Gnade und Wahrheit" (Joh 1,14).

Jesus Christus ist darum nicht eine Alternative zur Religion. Er ist ihre Absage und Verwerfung. Er ist der einzige Weg nach Hause – zum Vaterhaus Gottes (Joh 14,6).

6. Fragen bezüglich des Lebens und des Glaubens (FL)

FL1: *Warum leben wir auf Erden?*

AL1: Unser Leben existiert nicht deshalb, weil wir aus einem evolutiven Prozeß hervorgegangen sind, sondern weil es der Wille Gottes war, Menschen zu erschaffen. Die Bibel teilt uns nirgends den Grund für die Schöpfung des Menschen mit, etwa: weil Gott allein war; weil Gott Freude am Schaffen hatte; weil Gott ein Gegenüber haben wollte oder weil Gott Wesen schaffen wollte, um sie zu lieben. In 1. Mose 1,26-27 wird uns der Wille Gottes zur Erschaffung des Menschen und die Ausführung mitgeteilt: „Und Gott sprach: Lasset uns Menschen machen, ein Bild, das uns gleich sei... Und Gott schuf den Menschen ihm zum Bilde, zum Bilde Gottes schuf er ihn; und schuf sie: einen Mann und eine Frau." Hieraus wird deutlich: Wir sind gewollte Wesen. Wir sind also weder „kosmische Eckensteher" (*F. Nietzsche*) noch „Zigeuner am Rande des Universums" (*J. Monod*), noch irgendwelche Emporkömmlinge aus dem Tierreich, sondern wir entstammen einem direkten Schöpfungsakt Gottes. Darüber hinaus teilt die Bibel uns mit, daß wir von Gott geliebt sind: „Ich habe dich je und je geliebt; darum habe ich dich zu mir gezogen aus lauter Güte" (Jer 31,3) oder: „Denn also hat Gott die Welt geliebt, daß er seinen eingeborenen Sohn gab, auf daß alle, die an ihn glauben, nicht verloren werden, sondern das ewige Leben haben" (Joh 3,16). Dieser Vers zeigt uns darüber hinaus an, daß wir für das ewige Leben bestimmt sind.

FL2: *Was ist der Sinn des Lebens?*

AL2: Wir Menschen sind die einzigen irdischen Wesen, die nach Sinn fragen. Uns bewegen drei Grundfragen: Woher komme ich? Wozu lebe ich? Wohin gehe ich? Viele haben darüber nachgedacht. Der Karlsruher Philosoph *Hans Lenk* betont, daß wir von seinem Fachgebiet keinerlei Antworten zu erwarten haben, wenn er schreibt: „Die Philosophie gibt selten endgültige inhaltliche Lösungen; sie ist ein Problemfach, kein Stoff- und Ergebnisfach. Für sie ist u. U. eine neue Problemperspektive viel wichtiger als eine Teillösung einer überlieferten Frage." Der Dichter *Hermann Hesse* schreibt: „Das Leben ist sinnlos, grausam, dumm und dennoch prachtvoll – es macht sich nicht über den Menschen lustig, aber es kümmert sich um den Menschen nicht mehr als um den Regenwurm." Die französische Schriftstellerin des Existentialismus und Atheistin *Simone de Beauvoir* verirrt sich in Sinnlosigkeit: „Welchen Sinn hat das Leben, wenn es doch radikal vernichtet, vernichtet wird? Weshalb ist es dann dagewesen? Sinnlos ist letztlich alles: die Schönheit des Lebens, die Taten der Menschen, alles. Das Leben ist absurd." Auch die Wissenschaften wie Psychologie, Biologie, Medizin können uns keine Antwort geben, weil die Sinnfrage nicht zu ihrem Aussagenfeld gehört.

Manche Leute sehen den Sinn ihres Lebens darin, daß

- sie Gutes tun wollen: Viele hegen diesen humanistischen Gedanken, der noch nicht spezifisch christlich ist. Gutes zu tun ist zwar auch den Christen aufgetragen (Gal 6,10; 2 Thess 3,13), aber wer gute Werke tut, ist damit noch kein Christ.
- sie selbst zu Ansehen kommen: Sportler streben nach Weltmeistertiteln und Goldmedaillen. Künstler suchen ihre Anerkennung auf den Bühnen dieser Welt.
- sie sich Unvergängliches schaffen wollen: So meinen sie, in ihren Kindern oder in der Gesellschaft weiterzuleben (z. B. durch Stiftungen, die mit ihrem Namen verbunden sind). Andere wünschen, sich in eigenen Gedichten, Memoiren oder Tagebüchern zu verewigen.

Wir sollten bedenken: Aller weltlicher Ruhm ist nur zeitlich. Nach unserem Tod haben wir selbst nichts mehr davon, denn wohin wir gehen, da „haben wir kein Teil mehr auf der Welt an allem, was unter der Sonne geschieht" (Pred 9,6).

Wenn unser Leben eine Schöpfung Gottes ist, so kann es nur dann sinnvoll sein, wenn es mit diesem Gott gelebt und von ihm geführt wird. Ein Menschenherz – selbst wenn es alles Glück dieser Welt besäße – bliebe rastlos, leer und unerfüllt, wenn es nicht Ruhe in Gott fände. Darum wollen wir von Gott erfahren, was uns Sinn gibt. In drei Punkten sei dies skizziert:

1. Gottes Ziel mit unserem Leben ist, daß wir zum Glauben kommen. Ohne den rettenden Glauben an den Herrn Jesus Christus gehen wir verloren. Darum sagte Paulus dem Kerkermeister zu Philippi: „Glaube an den Herrn Jesus, so wirst du und dein Haus selig!" (Apg 16,31). In diesem Sinn „will Gott, daß allen Menschen geholfen werde und sie zur Erkenntnis der Wahrheit kommen" (1 Tim 2,4). Weil diese Errettung für jedes Menschenleben vorrangig ist, sagte der Herr Jesus dem Gichtbrüchigen als erstes: „Deine Sünden sind dir vergeben!" (Mt 9,2). Rettung der Seele hat aus der Sicht Gottes Vorrang vor der Heilung des Körpers.

2. Wenn wir errettet sind, stehen wir im Dienst für Gott: „Dienet dem Herrn mit Freuden!" (Ps 100,2). Als Nachfolger Jesu soll unser Leben so ausgerichtet sein, daß wir auch andere zu Jüngern machen (Mt 28,19).

3. „Du sollst deinen Nächsten lieben wie dich selbst" (Mt 22,39). Mit diesem Liebesgebot verpflichtet uns Gott nicht nur an den Fernen in Südafrika oder Chile, sondern in erster Linie an jene Menschen, die uns unmittelbar anvertraut sind: unser Ehepartner, unsere Kinder, unsere Eltern, unsere Nachbarn, unsere Arbeitskollegen. Daß wir uns selbst lieben, setzt die Bibel als Tatsache voraus, aber dem Nächsten soll diese Liebe ebenso gelten.

Was wir im Glauben unter den zuvor genannten Punkten 2 und 3 gewirkt haben, das bezeichnet die Bibel als die Frucht unseres Lebens. Im Gegensatz zu allen vergänglichen Erfolgen ist nur die Frucht bleibend (Joh 15,16). Gott sucht sie am Ende unseres Lebens und fragt uns, was wir mit anvertrauten

Pfunden (Leben, Zeit, Geld, Begabungen) erwirkt haben (Lk 19,11-27). Selbst der Becher kalten Wassers, den wir im Namen Jesu gereicht haben, hat dann Ewigkeitsbedeutung (Mt 10,42).

FL3: *Wie kann ich im täglichen Leben mit dem Glauben klarkommen?*

AL3: Wer von Herzen an Jesus Christus gläubig geworden ist, bei dem wird eine deutliche Veränderung im Leben sichtbar. Drei Punkte markieren den neuen Lebensweg:

1. Der Bruch mit der Sünde: Nachdem wir in der Bekehrung die Vergebung aller Schuld erhalten haben, kommen wir zu einer neuen Lebensweise, die gründlich mit der Sünde bricht. Als wiedergeborene Christen sind wir nicht sündlos, aber was vorher fahrplanmäßig geschah, ereilt uns nun als Eisenbahnunglück. Die Beachtung der Gebote, die nicht als Verbote gedacht sind, sondern als Hilfe für ein gelungenes Leben, wird unserem Leben eine entscheidende Korrektur geben. Mit dieser neuen Orientierung zeigen wir Gott, daß wir ihn lieben (1 Joh 5,3), und unseren Mitmenschen sind wir ein „Brief Christi" (2 Kor 3,3), der von jedermann gelesen werden kann.

2. Das tägliche Leben im Glauben: Wer an Christus glaubt und demzufolge ständig mit der Bibel umgeht, findet eine Fülle hilfreicher Anweisungen für alle Bereiche dieses Lebens, von denen im folgenden eine Auswahl genannt sei. Da es sich in diesem Abschnitt fast ausschließlich um die irdischen Aspekte des Glaubens handelt, kommen die alttestamentlichen Bücher Sprüche und Prediger Salomo hier reichlich zum Zuge. Wir finden Anweisungen für unsere eigene Person (a) und für den Umgang mit anderen Menschen (b):

a) *Zur eigenen Person:*
- Leib (Röm 13,4; 1 Kor 3,17; 1 Kor 6,19)
- Essen und Trinken (Spr 23,20)
- (Art der Ernährung vor dem Sündenfall: 1 Mo 1,29)

- Art der Ernährung nach der Sintflut (1 Mo 9,3-4; 1 Kor 8,8; Kol 2,16; 1 Tim 4,3-5)
- Schlaf (Ps 4,9; Spr 6,6-11; Spr 20,13; Pred 5,11)
- notwendige Arbeit (2 Mo 20,9-11; 2 Mo 23,12; Spr 6,6-11; Spr 14,23; Spr 18,9; Spr 21,25; Pred 3,13; Pred 10,18; 2 Thess 3,10)
- Arbeit als Lebensprinzip (Pred 2,3-11)
- Entlohnung für Mitarbeiter (Jes 65,23; Jer 22,13; Lk 10,7)
- Freizeit (Spr 12,11b)
- Erwerb von Geld und Gut (Pred 4,6; 1 Tim 6,6-8; Hebr 13,5)
- rein irdisches Streben, diesseitige Lebensinhalte (Pred 2,2-11)
- Besitz (Mt 6,19; Spr 10,22)
- Reichtum (Spr 11,28; Spr 13,7; Spr 14,24; Pred 5,18)
- Hausbau (Ps 127,1; Jer 22,13)
- Sport (1 Kor 9,24-25; 1 Tim 4,8)
- Sorgen (Ps 55,23; Spr 12,25; Phil 4,6; 2 Tim 2,4; 1 Petr 5,7)
- Sex in der Ehe (Spr 5,18-19; Pred 9,9; 1 Kor 7,3-6)
- Sex außerhalb der Ehe (Spr 5,20-23; Spr 6,24-32; Jer 5,8-9; Hebr 13,4b)
- Sünde (1 Mo 4,7; Ps 65,4; Klgl 3,39; Joh 20,23; 1 Joh 1,9; 1 Joh 5,17; Hebr 12,1)
- Alkohol (Ps 104,15; Spr 23,30-35; Spr 20,1; Eph 5,18; 1 Tim 5,23)
- Redeweise (Ps 119,172; Spr 12,14+22; Spr 14,3+5; Spr 18,20-21; Spr 25,11; Eph 5,19; Kol 4,6; Jak 1,19; Hebr 13,16)
- Anfechtung (1 Petr 1,6-7; Jak 1,2+12)
- anklagendes Gewissen (1 Joh 3,20)
- Zorn (Eph 4,26)
- Zeit (Lk 19,13b; 1 Kor 7,29; Eph 5,16)
- Gesinnung (Phil 2,5)
- Träume (Pred 5,6)
- Fröhlichkeit und Freude (Ps 118,24; Spr 15,13; Spr 17,22; Phil 4,4; 1 Thess 5,16)

- Gutes tun an sich selbst (Mt 22,39)
- genaues Maß (Spr 11,1+24; Spr 20,10)
- eigene Philosophie oder Religion (Spr 14,12)
- Jugend (Ps 119,9; Pred 11,9; Pred 12,1)
- Alter (Ps 71,9)
- Tod (Hiob 14,5; Ps 88,4; Pred 8,8)

Verhalten bei:
- Krankheit (Pred 7,14; Jak 5,14-16)
- Not (Ps 46,2; Ps 50,15; Ps 77,3; Ps 73,21-28; Ps 107,6-8; Phil 4,19)
- Depressionen (Ps 42,6; Ps 119,25)
- Menschenfurcht (Ps 56,12; Ps 118,6+8; Spr 29,25)
- Unglück (Jes 45,7; Klgl 3,31-37; Amos 3,6)
- alltäglichen Tätigkeiten (Pred 9,10; Kol 3,17)
- Geben (Spr 11,24-25; Pred 11,1; Mal 3,10; 2 Kor 9,6-7)
- Bürgschaften (Spr 6,1-3; Spr 11,15; Spr 17,18)
- Pfand nehmen (2 Mo 22,25-26)
- der Suche nach Wegweisung (Ps 37,5; Ps 86,11; Ps 119,105)
- der Suche nach einem Partner (Hohel 3,1; Amos 3,3; 2 Kor 6,14)
- Leiden um Gerechtigkeit (1 Petr 3,14)
- Irrlehren (Kol 2,8; 2 Petr 3,17; 1 Joh 4,6)
- Vorhaben (Pred 9,10; Phil 4,13; Kol 3,23)

b) *Hinweise für den Umgang mit anderen Menschen:*
- Ehepartner (Eph 5,22-28; 1 Petr 3,1-7; Hebr 13,4)
- Kinder (5 Mo 6,7; Spr 13,1; Eph 6,4; Kol 3,21; 1 Tim 3,12)
- Eltern (2 Mo 20,12; Spr 6,20; Spr 30,17; Eph 6,1-3)
- Freunde (Micha 7,5)
- gottesfürchtige und tugendsame Ehefrau (Spr 12,4a; Spr 31,10-31)
- zänkische und zuchtlose Ehefrau (Spr 11,22; Spr 12,4b; Spr 21,19)
- Feinde (Spr 25,21-22; Mt 5,22+44; Röm 12,14)

- böse Leute (Spr 1,10; Spr 24,1-2; 1 Petr 3,9)
- Narren, unverständige Leute (Spr 9,8; Spr 23,9)
- Gläubige (Röm 12,10; Gal 6,2+10b; Eph 4,32; Phil 2,4; 1 Petr 3,8-9)
- dem Glauben Fernstehende (Mt 10,32-33; Apg 1,8; Kol 4,5; 1 Petr 2,12+15)
- Ratgeber (Spr 15,22)
- Mitmenschen (Mt 22,39; Gal 6,10a; 1 Joh 4,17-18)
- Glaubenslehrer (Hebr 13,7)
- Kranke (Mt 25,36; Jak 5,14-16)
- Arzt und Arznei (Mt 9,12; 1 Tim 5,23)
- Fremdlinge und Gäste (Mt 25,35; Röm 12,13; Heb 13,2)
- Arme (Spr 3,27; Spr 19,17; Mt 25,34-40)
- Irrende (Jak 5,19)
- Irrlehrer (1 Joh 4,1-3; Judas 23)
- Zweifler (Judas 22-23)
- Witwen (1 Tim 5,3; Jak 1,27)
- Fröhliche oder Trauernde (Spr 17,22; Röm 12,15)
- alte Leute (3 Mo 19,32; Spr 23,22; 1 Tim 5,1).
- Tote (Pred 9,5-6)

c) *Hinweise für den Umgang:*
- mit der Gemeinde (Apg 2,42; Hebr 10,25)
- mit der Schöpfung (1 Mo 1,28)
- mit dem Staat (Mt 22,21; Röm 13,1-7; 1 Petr 2,13)
- mit Israel (Sach 2,12).

3. In der Welt, nicht von der Welt: Den Wirkrahmen des an Christus Gläubigen hat der Herr Jesus auf die knappe Formel gebracht: „Weil ihr aber nicht von der Welt seid, sondern ich euch aus der Welt erwählt habe, darum hasset euch die Welt" (Joh 15,19). Wer an Jesus glaubt, lebt zwar auch in dieser Welt wie alle anderen, aber sein Lebensbezug hat über das unter Punkt 2 Genannte hinaus eine ewigkeitliche Dimension, die sich in seinem Verhältnis zu Gott dem Vater und seinem Sohn und in seinem geistlichen Verhalten auswirkt:

a) *Das Verhalten zu Gott und zu Jesus Christus:*
- **Gott** lieben (5 Mo 6,5; Ps 31,24; Mt 22,37),
- ihn erkennen (Ps 46,11)
- an ihn glauben (Hebr 11,6)
- an ihn denken (Spr 3,5-6; Pred 12,1)
- seine Gebote halten (Pred 12,13; Micha 6,8)
- ihm danken (Ps 107,8; Eph 5,20; Kol 4,2)
- ihn loben und preisen (Ps 103,1-2; Eph 5,19b)
- ihm singen (Ps 68,5; Ps 96,1)
- ihn in der Not anrufen (Ps 50,15)
- ihn anbeten (Mt 4,10b)
- ihm nahen (Jak 4,8).
- Den Herrn **Jesus** lieben (Joh 21,16; 2 Kor 5,6; 2 Tim 4,8),
- ihn anrufen (Apg 7,58; Röm 10,13)
- ihn loben und preisen (Offb 5,12)
- ihn aufnehmen (Joh 1,12)
- an ihn glauben (Mk 16,16; Joh 11,25-26; Apg 16,31; 1 Joh 3,23)
- ihn mehr erkennen (Eph 4,13)
- ihm gehorsam sein (2 Kor 10,5; 1 Petr 1,22)
- ihm nachfolgen (Lk 14,27; Lk 14,33)
- ihm dienen (Eph 6,7)
- mit ihm Gemeinschaft haben (Joh 15,2; 1 Kor 1,9; 1 Kor 11,23-29; 1 Joh 1,3)
- in ihm bleiben (Joh 15,4)
- zu ihm und in seinem Namen beten (Joh 14,13-14; Apg 7,58; Eph 5,20).

b) *Geistliches Wirken und Verhalten:*
- dem Reich Gottes höchste Priorität einräumen (Mt 6,33; Kol 3,2)
- Frucht wirken (Ps 126,5-6; Lk 19,13)
- Frucht des Geistes erbringen (Gal 5,22; Eph 5,9)
- Schätze im Himmel sammeln (Mt 6,20)
- das Wort Gottes verbreiten (2 Kor 5,20; 1 Thess 1,8)
- das Gott Wohlgefällige tun (Eph 5,10; 1 Thess 2,4)
- das Evangelium verkündigen (Mt 28,19-20; Phil 1,27; 1 Tim 6,12)

- Gemeinschaft mit Gläubigen pflegen (Mt 18,20; Apg 2,42)
- in der Heiligung leben (1 Thess 4,3; 2 Thess 2,13; Hebr 12,14)
- reichlich mit der Bibel umgehen (Jos 1,8; Ps 119,162; Kol 3,16)
- geistliche Ziele haben (Ps 39,5; Phil 3,14).

FL4: *Ich habe ständig wiederkehrende Träume, die mich belasten. Was habe ich von diesen Träumen zu halten?*

AL4: Es lassen sich drei Traumarten unterscheiden:

1. *Träume von Gott:* Die Bibel berichtet von einigen Träumen, in denen Gott mit Menschen geredet hat (z. B. Joseph: Mt 1,19-25). Entweder erkannte der Träumende Gott als den unmittelbar Mitteilenden (z. B. Salomo: 1 Kön 3,5-15; Daniel: Dan 7), oder aber Gott sandte einen Deuter seiner Botschaft (z. B. Joseph deutete im Gefängnis die Träume des Bäckers und des Mundschenks: 1 Mo 40). Träume, in denen Gott zu uns redet, sind daran erkennbar, daß sie uns weder belasten noch ängstigen; sie werden sich gar bald als eine besondere Hilfe in Lebenssituationen herausstellen. Solches Reden Gottes bleibt jedoch nach aller Erfahrung Ausnahmesituationen vorbehalten.

2. *Bedeutungslose Träume:* Die meisten Träume sind flüchtig und nichtssagend, so wie es auch in Hiob 20,8 zum Ausdruck kommt: „Wie ein Traum vergeht, so wird er (= der Ruhm des Gottlosen) auch nicht zu finden sein, und wie ein Gesicht in der Nacht verschwindet." Die gängige Praxis der symbolischen Traumdeutung ist abzulehnen: „Die Wahrsager sagen Lüge und reden vergebliche Träume" (Sach 10,2). Auch in dem apokryphen Buch Sirach 34,1-8 finden wir eine hilfreiche Erklärung:

„Unweise Leute betrügen sich selbst mit törichten Hoffnungen, und Narren verlassen sich auf Träume. Wer auf Träume hält, der greift nach dem Schatten und will den

Wind haschen. Träume sind nichts anderes denn Bilder ohne Wesen... Eigene Weissagung und Deutung und Träume sind nichts, und machen einem doch schwere Gedanken; und wo es nicht kommt durch Eingebung des Höchsten, da halte nichts davon. Denn Träume betrügen viele Leute, und es geht denen fehl, die darauf bauen."

3. *Träume als nicht verarbeitete Erlebnisse:* Aus dem Unbewußten, das dem bewußten Willen und Verstand entzogen ist, können Traumbilder aufsteigen, deren Ursachen einen deutlich erkennbaren Lebensbezug haben: unbewältigte Ängste, nicht eingestandene Schuld, nicht überwundene Erlebnisse (z. B. Kriegseindrücke, Examensängste, Ehekrisen). Von dieser Art sind wohl die Träume des obigen Fragers. Eine Befreiung hiervon ist in der begleitenden Seelsorge möglich. Da es sich in den meisten Fällen um Schuldprobleme handelt, ist die Erfahrung der Vergebung der angezeigte Lösungsweg.

FL5: *Was ist Sünde?*

AL5: Ehe die Bibel das Wort „Sünde" nennt, führt sie uns deren Naturgeschichte plastisch vor Augen (1 Mo 3,1-13). Sie bringt nicht erst die Theorie und dann die Praxis, sondern umgekehrt erst die Praxis und leitet dann daraus das Grundsätzliche ab. Die Sünde fand ihren Eingang in diese Welt durch die versuchliche Frage: „Sollte Gott gesagt haben?" (1 Mo 3,1). Sünde ist damit ein Handeln, das dem Willen Gottes entgegengerichtet ist. Treffliche Spiegel, um die eigene Sündhaftigkeit zu erkennen, sind die Zehn Gebote (2 Mo 20,1-17) und die Bergpredigt Jesu (Mt 5-7). Wenn jemand ohne das Wort Gottes lebt, kennt er somit nicht dessen Willen und damit lebt er automatisch und permanent in Sünde. Das zuerst in der Bibel vorkommende Wort für Sünde (hebr. chattath) in 1. Mose 4,7 bedeutet Zielverfehlung, ebenso ist das griechische „hamartia" zu übersetzen. Weitere Bedeutungen des Wortes Sünde sind Abbiegung, Verdrehung (hebr. awon), Bosheit, Schlechtigkeit (hebr. raa), Gewalttat (hebr. chamas), böse Gesinnung (hebr. rascha). Schon das bloße Fehlen der Gerechtigkeit ist Sünde: „Weh dem, der sein Haus baut mit Nichtgerechtigkeit" (Jer 22,13). Im Neuen Testament lautet die entsprechende Definition für Sünde: „Was aber nicht aus dem Glauben geht, das ist Sünde" (Röm 14,23). *H. Bezzel* nannte die Reduktion des Menschen auf sich selbst Sünde. In Johannes 16,9 identifiziert Jesus die Generalsünde der Menschen mit der Beziehungslosigkeit ihm gegenüber: „daß sie nicht glauben an mich." Sünde ist die große Störung in dem Verhältnis zwischen Gott und Mensch. Wer nicht die Kurskorrektur durch Umkehr und Vergebung (1 Joh 1,9) erfährt, der erlebt die Folge der Zielverfehlung als unabänderliches Gesetz: „Der Sünde Sold ist (ewiger) Tod" (Röm 6,23). Bei vielen Menschen steht die Gesundheit auf Platz 1 der Rangliste, aber sie beachten nicht die schlimmste Krankheit: Die Sünde – die Krankheit zum Tode.

FL6: *Dürfen unverheiratete Paare nach der Bibel zusammenleben? Ab wann ist ein Paar verheiratet: Nach der Entscheidung des Paares, zusammenbleiben zu wollen? Nach dem ersten Intimverkehr? Nach der standesamtlichen oder kirchlichen Trauung?*

AL6: Zur Klärung dieser in unserer Zeit immer brennender werdenden Fragen sollen fünf Punkte biblischer Leitlinien vorangestellt werden. Wir wenden hier einen biblischen Auslegungsgrundsatz an, bei dem die Problemlösung nicht auf einen einzigen Vers zu fixieren ist, sondern sich erst im Kontext mehrerer Grundaussagen ergibt (siehe Auslegungsgrundsätze A5 und A6 im Anhang, Teil II):

1. *Ehe und Geschlechtlichkeit:* Gott hat in seiner Schöpfungsordnung die Ehe gestiftet. Sie ist sein Wille und seine gute Idee: „Es ist nicht gut, daß der Mensch allein sei; ich will ihm eine Gehilfin machen, die um ihn sei" (1 Mo 2,18). Sie ist als lebenslängliche Gemeinschaft angelegt (Mt 19,6), die darum nach der Trauformel solange gilt „bis daß der Tod euch scheide". Beim Einsetzen dieser von Gott gestifteten Gemeinschaft von Mann und Frau hatte der Schöpfer gesagt:

„Darum wird ein Mann Vater und Mutter verlassen und an seiner Frau hangen, und sie werden ein Fleisch sein" (1 Mo 2,24). Das „Ein-Fleisch-Sein" meint zunächst die leibliche, geschlechtliche Gemeinschaft. Diese Kurzformel umfaßt jedoch den ganzen Menschen und somit auch Seele und Geist. Zwei Menschen mit unterschiedlichen bisherigen Lebenswegen finden zu der innigsten Gemeinschaft, die es gibt. Sie werden eins in ihrem Empfinden und Denken sowie in geistlicher und leiblicher Beziehung. Die Geschlechtlichkeit ist ein Geschenk Gottes, und der eheliche Verkehr dient nach biblischer Sicht nicht nur zum Kinderzeugen:

> „Entzieht euch einander nicht, höchstens auf Grund beiderseitigen Einverständnisses für eine bestimmte Zeit, um euch ungestört dem Gebet zu widmen" (1 Kor 7,5; *Menge*).
> „Dein Brunnquell möge gesegnet sein, daß du an der Frau deiner Jugend dich erfreuest! Das liebreizende Reh, die anmutige Gazelle – ihr Busen möge dich allezeit ergötzen, in ihrer Liebe sei immerdar trunken!" (Spr 5,18-19; *Menge*).
> „Genieße das Leben mit deiner Frau, die du liebgewonnen hast" (Pred 9,9; *Menge*).

Die Bibel zeigt uns den rechten Umgang mit der Sexualität. Sie grenzt sich ab sowohl von Prüderie (Hohel 4) als auch von Wollust (Jer 5,8); Liebe und Achtung sind die bestimmenden Randbedingungen (Kol 3,19; 1 Petr 3,7).

2. *Ehe und Gemeinde als Stiftung Gottes:* In dieser Welt gibt es viele Formen der menschlichen Gemeinschaft, von denen Ehe und Familie, Gemeinde und Staat (Röm 13,1-7) nach dem Willen Gottes sind. Die Gemeinde Jesu Christi und die Ehe aber sind zwei besondere Stiftungen Gottes und damit entgegen mancherlei Meinung keineswegs menschliche Erfindungen: Beide Gemeinschaften sind darum in einer gottlosen Welt angefochten (1 Tim 4,3; Offb 2,9). Seit der Schöpfung gibt es keine menschliche Kultur ohne Ehe. Sie hat sich nie überholt und wird trotz ehefeindlicher Zeitströmungen und trotz menschlichen Fehlverhaltens alle Zeiten überdauern, weil sie in der Fürsorge Gottes für den Menschen begründet liegt. Ebenso wird die Gemeinde nach der Verheißung Jesu selbst von den Pforten der Hölle niemals überwältigt werden können (Mt 16,18).

3. *Die Ehe als Gleichnis:* Die Bibel umschreibt oft den Glauben und die Beziehung zwischen Gott und Mensch mit dem innigsten Vertrauensverhältnis, das zwischen Menschen denkbar ist, mit der Ehe. „Denn wie ein Mann eine Frau liebhat,... und wie sich ein Bräutigam freut über die Braut, so wird sich dein Gott über dich freuen" (Jes 62,5). Darum wird auch die Ehe als Gleichnis (griech. *mystaerion* = Geheimnis) für das Verhältnis Christi zu seiner Gemeinde gewählt: „ ... gleichwie auch Christus geliebt hat die Gemeinde und hat sich selbst für sie gegeben, ... so sollen auch die Männer ihre Frauen lieben" (Eph 5,25+28). Von dieser Analogie sagt uns Gottes Wort: „Dieses Geheimnis ist groß!" (Eph 5,32). Schon aus dem Gleichnischarakter der Ehe für die ewige Gemeinschaft mit Christus ist ableitbar, daß Ehe eine Gemeinschaft auf die ganze Lebenszeit ist. Jede geschiedene Ehe produziert ein Zerrbild der Vorstellungen Gottes und zerstört das Gleichnishafte. So wird auch Jesu kompromißlose Haltung in der Scheidungsfrage einsichtig (Mt 19,6-9).

4. *Die Hurerei als Gleichnis:* Wenn eine in Liebe und Treue geführte Ehe als Bild für das Verhältnis Gottes zu seinem Volk steht, so bezeichnet die Bibel in Konsequenz den Abfall von Gott und die Anbetung fremder Götter und Götzen als Ehebruch oder Hurerei:

> „Hast du auch gesehen, was Israel, die Abtrünnige, tut? Sie ging hin auf alle hohen Berge und unter alle grünen Bäume und trieb daselbst Hurerei. Und von dem Geschrei ihrer Hurerei ist das Land verunreinigt; denn sie treibt Ehebruch mit Stein und Holz" (Jer 3,6+9).
> „Denn ich habe gesehen deine Ehebrecherei, deine Geilheit, deine freche Hurerei, ja deine Greuel auf Hügeln und auf Äckern" (Jer 13,27).

5. *Was ist Hurerei?* Für die beiden deutschen Wörter *Hurerei* und *Unzucht* gibt es in der Sprache des NT nur einen Ausdruck (griech. *porneia*), den wir in dem Wort Pornographie wiederfinden. Das Wort „Unzüchtiger" (griech. *pornos*) wird im NT einerseits neben Ehebrechern und Homosexuellen gebraucht (z. B. 1 Kor 6,9) andererseits aber auch als Oberbegriff für jede Befriedigung des Geschlechtstriebes außerhalb der von Gott gesetzten Ehegemeinschaft (z. B. 1 Kor 6,18; 1 Thess 4,3). Hierzu gehören

– voreheliche sexuelle Gemeinschaft (5 Mo 22,28)
– Intimgemeinschaft mit einer anderen Frau als der Ehefrau (3 Mo 18,20; Jer 5,8-9; Mt 5,32)
– Homosexualität (1 Mo 19,5; Röm 1,26-27; 1 Tim 1,10)
– Blutschande (1 Kor 5,1)
– Vergehen mit dem Vieh (3 Mo 18,23).

Diejenigen, die Hurerei (Unzucht) treiben, stehen unter einem schweren Urteil Gottes:

> „Weder die Unzüchtigen noch die Götzendiener noch die Ehebrecher noch die Weichlinge noch die Knabenschänder werden das Reich Gottes ererben" (1 Kor 6,9-10).
> „Die Unzüchtigen und die Ehebrecher wird Gott richten" (Hebr 13,4).
> „Draußen (in der Verdammnis) sind die ... Unzüchtigen und die Totschläger und die Götzendiener und jeder, der Lüge liebhat und tut" (Offb 22,15).

Folgerungen: *Nach diesen biblischen Grundlagen liegen die gesuchten Antworten auf der Hand. Das Zusammenleben unverheirateter Paare ist somit ebenso wie vor- oder außerehelicher Geschlechtsverkehr nach der Bibel als Hurerei zu bezeichnen und schließt vom Reiche Gottes aus, es sei denn, die Betreffenden wenden sich von diesem sündigen Leben ab und kehren um (vgl. Anhang, Teil I, Pkt. 10).*

Ab wann aber ist ein Paar verheiratet? Mit der zunehmenden Entfremdung unseres Volkes von den Geboten Gottes beobachten wir mehr und mehr, daß unverheiratete Paare zusammenziehen und in einem „eheähnlichen", aber unverbindlichen Verhältnis leben. Sie sind dennoch nicht verheiratet, auch wenn manche keinen Unterschied zwischen ihrer Lebensgemeinschaft und einer Ehe sehen. Wie Gott solche Verhältnisse beurteilt, haben wir im vorangegangenen Punkt 5 bereits ausgesagt.

Aus dem Zeugnis der Bibel entnehmen wir, daß die Ehe nicht damit beginnt,

– wenn ein Paar beabsichtigt, den gemeinsamen Lebensweg zu gehen: Jakob wollte Rahel zur Frau haben. Als die vereinbarten sieben Jahre bis zur Heirat vorbei waren, sagte Jakob zu seinem Schwiegervater Laban: „Gib mir nun meine Braut, denn die Zeit ist da, daß ich zu ihr gehe" (1 Mo 29,21). Hiermit war die Geschlechtsgemeinschaft angesprochen. Zweierlei geht aus dem Textzusammenhang hervor: Vor der Ehe hat Jakob nicht sexuell mit Rahel verkehrt, und die Ehe galt ab dem öffentlichen Fest der Hochzeit.

- wenn ein Paar Intimverkehr gehabt hat: Wenn in Israel ein Mann mit einem Mädchen geschlafen hatte, mußte er es auch heiraten und – wie damals üblich – den Brautpreis zahlen (5 Mo 22,28-29). Intime Beziehungen waren bis zur offiziell geschlossenen Ehe nicht erlaubt.

Definition für Ehebeginn: Eine Ehe gilt erst dann – auch vor Gott – als geschlossen, wenn sich Mann und Frau nach dem in der jeweiligen Gesellschaft üblichen offiziellen Ritual der Verheiratung unterzogen haben.

Diese Definition ist an allen biblischen Beispielen von Hochzeiten nachvollziehbar. Hier finden wir folgendes biblische Auslegungsprinzip: Aus einer Fülle von Einzelereignissen wird das allen gemeinsame als eine biblische Lehre extrahiert. Ebenso ist diese Definition auf jeden entlegenen Stamm mit seinen eigenen, innerhalb dieser Gemeinschaft anerkannten Riten anwendbar wie auch für unseren Kulturkreis mit der Einrichtung des Standesamtes. Wichtig ist in allen Fällen, daß die Menschen der Umgebung in eindeutiger und offizieller Weise darum wissen, daß hier zwei Menschen in einer Ehe verbindlich zusammengehören. Sie stehen damit anderen nicht mehr zur Partnerwahl zur Verfügung. Wenn ein Mann eine verheiratete Frau (oder ein verheirateter Mann eine andere Frau und umgekehrt) ansieht, um sie (ihn) zu begehren, so wird er (sie) nach der Bergpredigt Jesu zum Ehebrecher (Mt 5,28). Der Frau am Jakobsbrunnen sagte Jesus, daß der Mann, den sie hatte, nicht ihr (Ehe-) Mann sei (Joh 4,18). Wäre sie durch öffentlichen Eheschluß mit ihm verheiratet gewesen, hätte Jesus nicht in dieser Weise mit ihr geredet. Die Bibel legt nirgends die äußere Form der Eheschließung fest, dennoch gibt es einen definierten Tag der Hochzeit, von dem an Mann und Frau offiziell zusammengehören. Zur Zeit Abrahams geschah dies anders (1 Mo 24,67) als bei Simson (siebentägige Hochzeitsfeier: Ri 14,10-30) oder zur Zeit Jesu (Hochzeit zu Kana: Joh 2,1-11). In der Bundesrepublik ist allein die standesamtliche Trauung die öffentlich-rechtlich anerkannte Form des Ehebeginns, die gemäß obiger biblisch abgeleiteter Definition auch vor Gott als Ehe gilt.

FL7: *Glauben heißt ja nicht „wissen"; wie kommen Sie dazu, den Glauben als etwas Gewisses darzustellen?*

AL7: Mit der Frage des Glaubens haben sich zahlreiche Denker befaßt. Wir finden bei ihnen sehr unterschiedliche Positionen, die aber nicht das Ergebnis neutralen Denkens sind, sondern uns ihren persönlichen Standpunkt wiedergeben.

Kritische Standpunkte: Der Atheist *Theo Löbsack* vertritt die Auffassung: „Der Glaube verteidigt vorgefaßte Überzeugungen und lehnt Erkenntnisse der Wissenschaft ab, wenn sie diesen Überzeugungen widersprechen. Damit ist der Glaube auch letztlich der Todfeind der Wissenschaft." Ähnlich kritisch äußerte sich *Kant:* „Ich mußte das Wissen aufheben, um zum Glauben Platz zu bekommen." Mit dieser unbiblischen Auffas-

sung wurde er zum Wegbereiter verschiedener Philosophie-
schulen, die dem Glauben diametral gegenüberstanden. Der
Leitspruch an einer Wand der Neuen Oberschule in Norf bei
Neuss „Vertraue keinem, der seinen Gott im Himmel hat" ist
die letzte Konsequenz der kritischen Vernunft.

Positive Standpunkte: Von dem wohl größten Physiker aller
Zeiten, *Isaak Newton*, stammt der Ausspruch: „Wer nur halb
nachdenkt, der glaubt an keinen Gott; wer aber richtig nachdenkt, der muß an Gott glauben." Mit gleicher Gewißheit bezeugt der berühmte Mathematiker *Blaise Pascal*: „Wie alle
Dinge von Gott reden zu denen, die ihn kennen und ihn ent-
hüllen denen, die ihn lieben, so verbergen sie ihn aber auch
allen denen, die ihn nicht suchen und nicht kennen."

Die beiden gegenübergestellten Positionen belegen deutlich,
daß der Glaube nicht eine Funktion der Unwissenheit ist, sondern allein von der persönlichen Voreinstellung abhängt. Diese ändert sich nicht durch philosophische Reflexionen, sondern
allein in der Hinkehr zu Jesus Christus, die die Bibel als Bekehrung bezeichnet. Dem nichtbekehrten Menschen sind Fragen des Glaubens eine Torheit (1 Kor 1,18), und er kann sie
nicht verstehen (1 Kor 2,14). Der von Christus erfaßte Mensch
jedoch wird in alle Wahrheit geleitet (Joh 16,13), sein Glaube hat ein festes Fundament (1 Kor 3,11), und sein Glaube ist
etwas äußerst Gewisses:

> „Es ist aber der Glaube eine gewisse Zuversicht des, das
> man hofft, und ein Nichtzweifeln an dem, das man nicht
> sieht" (Hebr 11,1).

FL8: *Ist zur Wiedergeburt ein äußeres Zeichen nötig?*

AL8: Bekehrung und Wiedergeburt sind die beiden Vokabeln,
die den Vorgang unserer Errettung beschreiben. Bekehrung ist
das, was der Mensch tut, und Wiedergeburt das, was Gott tut.
Bekehrung ist somit die menschliche, Wiedergeburt die göttliche Seite ein und desselben Prozesses. In einem Nachtge-

spräch sagt Jesus zu Nikodemus: „Es sei denn, daß jemand von neuem geboren werde, so kann er das Reich Gottes nicht sehen" (Joh 3,3). Die Wiedergeburt ist also notwendig, um in den Himmel zu kommen. Wiedergeborenwerden ist ebenso wie die natürliche Geburt ein passiver Vorgang. Bei der natürlichen Geburt kommen wir in dieses irdische Leben hinein und werden Bürger dieser Welt. Ebenso bekommen wir auch das Bürgerrecht für den Himmel nur durch Geburt. Da wir alle schon einmal geboren sind, bezeichnet die Bibel diese zweite Geburt mit dem Anrecht auf das himmlische (ewige) Leben Wiedergeburt.

In der Buße kehren wir uns von dem alten sündigen Leben ab, und in der Bekehrung wenden wir uns Christus zu. Wer mit seinem ganzen Wesen diese Hinkehr zu Gott vollzieht, der wird zum Heimkehrer in den Himmel. Gott antwortet, indem er uns ein neues, ewiges Leben gibt; dieses ist unsere Wiedergeburt. Mit einem äußeren Zeichen ist dieser Vorgang nicht verbunden, jedoch wird der neue Lebensbezug durch die sichtbaren Früchte des Geistes – Liebe, Friede, Geduld, Freundlichkeit, Güte, Treue, Sanftmut, Keuschheit (Gal 5,22-23) – bald offenbar werden.

FL9: *Sie reden hier so zu uns als hätte Gott selbst Sie hierher geschickt. Wie kommen Sie dazu? (während eines Vortrags in einer JVA)*

AL9: Ich freue mich, daß Sie diese Frage so herausfordernd gestellt haben, denn es ist gut, wenn wir auch hierüber Rechenschaft ablegen. Sie werden Ihr Leben lang vergeblich warten, wenn Sie die Evangeliumsbotschaft durch einen Engel vom Himmel verkündigt haben wollen. Das Heil hat Gott selbst in Jesus Christus erwirkt; die Verkündigung aber hat er Menschen anvertraut. Es ist der Wille Gottes, daß Jünger Jesu die Aufgabe wahrnehmen, auch andere Menschen zu Jüngern zu machen und sie biblisch zu unterweisen (Mt 28,19-20). So dürfen wir im Namen des Herrn, der Himmel und Erde gemacht hat, auftreten, „denn wir sind Gottes Mitarbeiter"

(1 Kor 3,9). Zu dieser Mitarbeit sind alle an Jesus Christus Gläubigen aufgerufen, und wir werden eines Tages danach beurteilt werden, was wir mit diesem anvertrauten Evangelium erwirkt haben (Lk 19,11-27). Der höchste im Ausland akkreditierte Vertreter einer Regierung ist der Botschafter. Er ist bevollmächtigt, beglaubigt und gesandt, um vollgültig im Namen seiner Regierung aufzutreten. Nicht weniger als in diesen hohen Stand eines Botschafters hat uns der Sohn Gottes bei der Evangeliumsverkündigung gestellt, denn im Neuen Testament heißt es ausdrücklich: „So sind wir nun *Botschafter* an Christi Statt, denn Gott vermahnt durch uns; so bitten wir nun an Christi Statt: Lasset euch versöhnen mit Gott!" (2 Kor 5,20). Jesus sagt in Lukas 10,16: „Wer euch hört, der hört mich." Unsere Legitimation ist also keine selbst ernannte, sondern eine von Gott autorisierte.

FL10: *Was halten Sie von der Gentechnologie?*

AL10: Mit dem Turmbau zu Babel war – wie allgemein bekannt ist – das Gericht der Sprachverwirrung verbunden. Weniger Allgemeingut ist, daß Gott den Menschen auch in seinem Tun dahingegeben hat: „Hinfort wird ihnen nichts mehr unmöglich sein" (1 Mo 11,6). Gott gewährt dem Menschen, Taten zu vollbringen, die er lieber nicht ausführen sollte. Es wäre dem Menschen gut, wenn er nicht die Fähigkeit besäße, Gaskammern zu bauen, um darin massenweise Menschen zu vernichten, Atombomben zu entwickeln, um damit Städte auszulöschen oder Ideensysteme zu erdenken, die den Menschen versklaven. So liegt es im Bereich des menschlich Machbaren, zum Mond zu fliegen, Organe zu verpflanzen und Gene zu manipulieren. Der nicht an Gott gebundene Mensch hält sich für autonom und kennt keine Einschränkungen in seinem Handeln. Sein Tun wird ihm selbst zum Gericht. Der an Gott glaubende Mensch wird nach biblischen Maßstäben suchen und nicht alles tun, was machbar ist. In dem Auftrag „mehret euch" (1 Mo 1,28) beteiligt Gott uns Menschen an dem Schöpfungsprozeß. In der geschlechtlichen Zuordnung von Mann und Frau hat Gott alle Voraussetzungen zu diesem

Schöpfungsvorgang gegeben, dennoch bleibt Gott auch dabei der Bildner: „Deine Augen sahen mich, da ich noch unbereitet war" (Ps 139,16). In der Genmanipulation greifen wir in den von Gott vorgegebenen Prozeß verändernd ein: Die in eine befruchtete Eizelle übertragenen Gene können an nachfolgende Generationen weitergegeben werden. Dieser Eingriff ist nicht mehr rückgängig zu machen und birgt unüberschaubare Gefahren in sich. *Ch. Flämig* sieht in utopischer Vision das Endziel der Genetik in der Schaffung eines Übermenschen: „Die besten Geister der Menschheit werden ... genetische Methoden entwickeln, die neue Eigenschaften, Organe und Biosysteme erfinden, die den Interessen, dem Glück und der Herrlichkeit jener gottgleichen Wesen dienen, deren dürftige Vorahnung wir elenden Kreaturen von heute sind" („Die genetische Manipulation des Menschen". Aus Politik und Zeitgeschichte B3/1985, S. 3-17). Bei solcher Zielsetzung wird der Mensch zum Gott verachtenden Prometheus:

> „Hier sitz' ich, forme Menschen
> Nach meinem Bilde,
> Ein Geschlecht, das mir gleich sei,
> Zu leiden, zu weinen
> Zu genießen und zu freuen sich,
> Und dein nicht zu achten
> Wie ich!" *(J. W. v. Goethe).*

FL11: *Was machte Jesus mit den Mücken und Bremsen? Hat er sie erschlagen?*

AL11: Von *Albert Schweitzer* ist das bekannte Wort von der „Ehrfurcht vor dem Leben" geprägt worden, das – würde es konsequent auf den Menschen angewandt – verhindern würde, daß es weltweit jährlich 80 Millionen Abtreibungen gibt. *Schweitzer* zog den Bogen jedoch weiter und versuchte, nie auf ein Insekt im Urwald zu treten. Im Hinduismus darf ebenso grundsätzlich kein Tier getötet werden, weil man glaubt, ein Mensch könne nach seinem irdischen Tod in irgendeinem beliebigen Tier weiterleben. In Konsequenz daraus gibt es in Indien achtmal soviel Ratten wie Menschen. Der Nahrungsbedarf dieser Ratten wird zum unlösbaren Problem; der angerichtete Schaden ist unbeschreiblich. Das biblische Gebot „Du sollst nicht töten" (2 Mo 20, 13) bezieht sich ausschließlich auf den Menschen. Für die Tiere gilt dieses Gebot nicht, denn sie sind dem Menschen ausdrücklich als Nahrung erlaubt (1 Mo 9,3). Auch die Verschärfung des Tötungsverbots durch Jesus in der Bergpredigt (Mt 5,21-26) wird keinesfalls auf die Tierwelt ausgedehnt.

Die oben gestellte Frage rückt Jesus in eine hinduistische Verhaltensweise oder in Verhaltensmuster von *Albert Schweitzer* und *Franz von Assisi*, der sich Strafen auferlegte, wenn er auf ein Insekt getreten hatte. Den rechten Umgang mit der Tierwelt zeigt uns Gott in der Bibel. In der ursprünglichen Schöpfung stand alles unter dem Urteil: „Und siehe da, es war sehr gut" (1 Mo 1,31). Es gab somit keine Krankheiten, keinen Tod, keine schädlichen Insekten und keine gefährlichen Tiere. Mit dem Sündenfall kam es zu einem tiefen Einbruch auch in die Tierwelt, der von Tierart zu Tierart mit deutlich graduierten Unterschieden markiert ist. So gibt es die Kategorie von reinen und unreinen Tieren (1 Mo 7,2). Es wird weiterhin zwischen bösen (3 Mo 26,6) und nützlichen Tieren unterschieden, wobei der Schutz der letzteren sogar in den Zehn Geboten Gottes verankert ist (2 Mo 20,10+17). In 5. Mose 25,4 wird dem Ochsen, der beim Dreschen eingesetzt ist, von Gott das Futterrecht des Brotgetreides eingeräumt. Andere Tiere verloren mit dem Sündenfall ihre ursprünglich positive Rolle bezüglich des Menschen und wurden zu ausgemachten Schädlingen. Insbesondere nennt die Bibel Heuschrecken, Käfer, Raupen, Frösche und Ungeziefer, die in ihrem massenhaften Auftreten zum Gericht Gottes werden (2 Mo 10,12; Ps 78,45-46; Ps 105,30-34; Joel 2,25; Amos 4,9). Ebenso verkörpern Schlangen und Skorpione dem Menschen gegenüber feindliche Mächte, vor denen Gott bewahren kann (4 Mo 21,8-9; Lk 10,19) oder die in Gerichtssituationen Gewalt über den Menschen bekommen (4 Mo 21,6; 1 Kön 12,11).

Die meisten Krankheiten werden durch Mikroorganismen (Viren, Bakterien, Parasiten) verursacht. Wenn Jesus alle Krankheit heilte (Mt 4,23), dann tötete er damit auch diese den Menschen bedrohenden und schädlichen Lebewesen. Wir zeichnen ein falsches Bild von Jesus Christus, wenn wir ihm eine unrealistische Einschätzung dieser gefallenen Schöpfung unterstellen. Zerstörerischen Mächten wie Wind und Wellen (Mt 8,27), Krankheit und Tod (Mt 8,3; Joh 11,43-44), Dämonen und bösen Geistern (Lk 11,14) gebietet er in seiner Vollmacht. Jesus kam als Sohn Gottes und zugleich als Mensch zu uns. Er „ward gleich wie ein anderer Mensch und an Gebärden als ein Mensch erfunden" (Phil 2,7), d. h., er war damit allen Situationen ausgeliefert wie jeder andere Mensch und somit auch der Plage von Moskitos, Mücken, Bremsen und Fliegen. Die Bibel berichtet nirgends explizit, wie er damit umgegangen ist. Aus dem oben Gesagten können wir dennoch annehmen, daß er sie sowohl verjagt als auch getötet hat.

7. Fragen bezüglich des Todes und der Ewigkeit (FT)

FT1: *Gibt es ein Leben nach dem Tod?*

AT1: Die riesigen Pyramiden der Ägypter belegen die damaligen Kenntnisse der Bautechnik und Architektur, aber mehr noch sind es gewaltige Zeugnisse einer Menschheit, die an ein Weiterleben nach dem Tode glaubt. Es gibt keine Kultur und keinen Stamm auf dieser Erde ohne diesen Glauben. Von dieser Tatsache sind noch nicht einmal die Atheisten ausgenommen. Als nach dem Tode des Revolutionärs Nordvietnams *Ho Chi Minh* (1890-1969) sein Testament vor der kommunistischen Prominenz verlesen wurde, stand dort: „Ich gehe hin, um die Genossen *Marx, Lenin* und *Engels* wiederzutreffen." Woran liegt das? Nun, Gott hat jedem Menschen „die Ewigkeit ins Herz gelegt" (Pred 3,11; Zürcher). Der Tod ist für uns eine Mauer, über die wir nicht hinüberschauen können; aber Einer hat sie durchbrochen. Er war drüben und kam von der jenseitigen Welt zurück: Es ist der Herr Jesus Christus! Er starb am Kreuz und ist am dritten Tag auferstanden von den Toten. Von diesem Sieger über den Tod haben wir die Gewißheit, unsere Existenz hört nicht mit dem Tode auf. Er hat uns die Realitäten von Himmel und Hölle bezeugt. Wir sind Ewigkeitsgeschöpfe und durch den Glauben an ihn zum ewigen Leben berufen: „Ich bin die Auferstehung und das Leben. Wer an mich glaubt, der wird leben, ob er gleich stürbe" (Joh 11,25).

FT2: *Was ist das ewige Leben? Wie muß man sich das vorstellen?*

AT2: In der Sprache des NT gibt es zwei völlig verschiedene Wörter für das deutsche Wort „Leben": *bios* und *zoä*. Bios meint das bio-logische Leben des Menschen, aber auch aller außermenschlichen Kreatur. Dieses Leben eilt schnell und flüchtig dahin wie ein Strom, wie ein Schlaf, wie eine bald verwelkende Blume (Ps 90,5; Ps 103,15). In Hiob 14,1-2 lesen wir: „Der Mensch, von der Frau geboren, lebt kurze Zeit und ist voll Unruhe, geht auf wie eine Blume und fällt ab, flieht wie ein Schatten und bleibt nicht." An anderer Stelle wird dies enteilende Leben mit Dampfschwaden verglichen: „Denn was ist euer Leben? Ein Dampf seid ihr, der eine kleine Zeit währt, danach aber verschwindet er" (Jak 4,14).

Von *Otto v. Bismarck* stammt der Ausspruch: „Das Leben ist ein geschicktes Zahnausziehen. Man denkt immer, das Eigentliche solle erst kommen, bis man plötzlich sieht, daß alles vorbei ist." Der Dichter *Chr. F. Hebbel* meinte: „Das Leben ist eine in siebenfaches Goldpapier eingewickelte Bittermandel", und der Essayist *Adolf Reitz* definierte das Leben als „ein Massengrab der Hoffnungen und Enttäuschungen." Die Bibel gibt uns hingegen eine völlig andere Perspektive: Wo Menschen ihr Leben als gute Gabe Gottes entdecken und es in der Nachfolge Jesu gestalten, bekommt es eine neue Dimension, das mit dem griechischen „zoä" beschrieben ist. Zoä ist Leben aus Gott, jenes wesenhafte, unauflösliche, ewige Leben. Jesus Christus ist in diese Welt gekommen, um uns das ewige Leben zu bringen. So ist es nicht nur mit seiner Person verknüpft, in ihm begegnet uns direkt das ewige Leben. Jesus sagt in Johannes 14,6: „Ich bin... das (ewige!) Leben" (griech. *zoä*). Diese Identität von Jesus und ewigem Leben bezeugt auch der Apostel Johannes: „Und das (ewige) Leben (griech. *zoä*) ist erschienen, und wir haben gesehen und bezeugen und verkündigen euch das Leben, das ewig ist, welches war bei dem Vater und ist uns erschienen" (1 Joh 1,2). Wer an Jesus glaubt, wer ihn als Herrn hat, der hat damit auch ewiges Leben (1 Joh 5,12). Mit der Verheißung des ewigen Lebens (1 Joh 2,25) steht unser zeitliches Leben auf einer ewigen Grundlage. Nur von daher wird es verständlich, daß Jünger Jesu um des Glaubens willen Verfolgung, Gefängnis und Folter ertragen und sogar in den Tod gehen, aber nicht ihren Herrn verleugnen. Das ewige Leben wird in seiner ganzen Fülle erst offenbar nach der Auferstehung: „Und viele... werden aufwachen: etliche zum ewigen Leben, etliche zu ewiger Schmach und Schande" (Dan 12,2). In diesem Leben haben wir nicht nur die Zusage des ewigen Lebens, sondern schon jetzt Anteil an Gottes und Christi Lebensfülle, Existenz und Herrlichkeit. Wenn der Glaube zum Schauen gelangt, werden wir Jesus und den Vater von Angesicht zu Angesicht schauen.

FT3: *Wann beginnt das ewige Leben?*

AT3: Nach dem Zeugnis der Bibel gibt es nur zwei Arten der ewigen Existenz: ewiges Leben oder ewige Verlorenheit. Darum ist es nach einem Wort von *Heinrich Kemner* das größte Verlustgeschäft, ohne Jesus zu leben und zu sterben. In Johannes 3,15 wird betont, „daß alle, die an ihn glauben, das ewige Leben haben". Die Zueignung des ewigen Lebens geschieht somit nicht erst nach dem Tode, sondern gilt vom Augenblick der Bekehrung an: „Wer an den Sohn glaubt, der hat das ewige Leben" (Joh 3,36). Dieser Glaube trägt das Siegel der Auferstehung Jesu von den Toten und steht damit auf einer absoluten und unwandelbaren Grundlage. Gott legt Wert darauf, daß eine feste Gewißheit in uns ist: „Solches habe ich euch geschrieben, die ihr glaubet an den Namen des Sohnes Gottes, auf daß ihr wisset, daß ihr das ewige Leben habt" (1 Joh 5,13).

FT4: *Wie kann ich mir den Himmel vorstellen?*

AT4: Alle menschliche Vorstellungskraft reicht nicht aus, um sich die Herrlichkeit des Himmels vorstellen zu können. Paulus wurde ein Blick bis in den dritten Himmel (2 Kor 12,2) gewährt. Er schreibt in anderem Zusammenhang von der verborgenen Weisheit Gottes, die uns der Geist Gottes schon hier auf Erden kundtut, und bemerkt dazu: „Was kein Auge gesehen hat und kein Ohr gehört hat und in keines Menschen Herz gekommen ist, was Gott bereitet hat denen, die ihn lieben" (1 Kor 2,9). Wieviel mehr gilt diese Beschreibung für die uns noch unsichtbare Herrlichkeit Gottes und für den Himmel! Die Bibel vermittelt uns kein vollständiges Bild des Himmels, dennoch zeichnet sie ihn in vielen Facetten, von denen wir hier einige betrachten wollen. Der Glaube darf es im Vorgeschmack wahrnehmen, das Schauen wird unbeschreiblich sein.

1. *Der Himmel, ein Reich:* Alle Reiche dieser Welt vergehen, ihre irdische Macht ist nur begrenzt. Das Deutsche Kaiserreich von 1871 hat keine fünfzig Jahre erreicht. Das Dritte Reich wurde als das Tausendjährige propagiert, aber es endete nach 12 Jahren in Schutt und Asche. Der Himmel hingegen ist ein ewiges Reich (2 Petr 1,11), das kein Ende haben wird. Es ist ein „unbewegliches Reich" (Hebr 12,28). Es ist das ersehnte himmlische Vaterland (Hebr 11,16), in dem die Herrschaft Gottes mit einer vollkommenen Regierung restlos anerkannt werden wird. Die zu Christus Gehörigen werden mit ihm regieren von Ewigkeit zu Ewigkeit (Offb 22,5; Lk 19,17+19).

2. *Der Himmel, das Vaterhaus:* Im Gegensatz zu allen irdischen Häusern und Wohnungen ist der Himmel ein unvergänglicher Ort: „Denn wir haben hier keine bleibende Stadt, sondern die zukünftige suchen wir" (Hebr 13,14). Diese Stadt hat Gott selbst zubereitet (Hebr 11,16b), und der Herr Jesus ist der Gestalter des ewigen Domizils: „In meines Vaters Hause sind viele Wohnungen ... Ich gehe hin, euch die Stätte zu bereiten" (Joh 14,2). Alle, die zu Christus gehören, haben hier ewiges Bürgerrecht; sie sind Gottes Hausgenossen (Eph 2,19). Im „Vaterunser" heißt es: „Unser Vater in dem Himmel" (Mt 6,9) und in Johannes 17,24 betet der Herr Jesus: „Vater, ich will, daß, wo ich bin, auch die bei mir seien, die du mir gegeben hast, auf daß sie meine Herrlichkeit sehen." Der Himmel ist unser Vaterhaus, weil Gott dort wohnt (1 Mo 24,7; Ps 115,3; Mt 6,9). Es ist ebenso die Wohnstätte Jesu. Von dort ist er zu uns in die Welt gekommen (Joh 3,13; Joh 6,38), und dorthin ist er nach seiner Himmelfahrt wieder aufgenommen (Lk 24,51; Apg 1,11). Bei seiner Wiederkunft in Macht und Herrlichkeit wird er von dort kommen und die Seinen zu sich nehmen.

3. *Der Himmel, unsere Heimat:* Während des letzten Krieges verloren Millionen von Ostpreußen, Pommern und Schlesiern ihre alte Heimat. Von Generation zu Generation wohnten die Menschen in diesen Gebieten bis zum Tag der Flucht oder der Vertreibung. Der Verfasser ist selbst Augenzeuge dieser schrecklichen Ereignisse. Wir Menschen sind auf Heimat angelegt. *Nietzsche* beklagte seine geistige Unbehaustheit mit den Worten: „Weh dem, der keine Heimat hat!" In dieser Welt gibt es nur eine Heimat auf Zeit, darum schreibt Paulus an die Philipper (3,20): „Unsere Heimat aber ist im Himmel, von dannen wir auch warten des Heilandes Jesus Christus, des Herrn."

4. *Der Himmel, Ort der Freude:* Ein Hochzeitsfest ist auch nach irdischen Maßstäben ein Anlaß besonderer Freude. Der Himmel wird uns in der Bibel im Bild der Hochzeit als ein ewiges Fest der Freude beschrieben: „Lasset uns freuen und fröhlich sein und ihm die Ehre geben, denn die Hochzeit des Lammes ist gekommen, und seine Braut hat sich bereitet" (Offb 19,7). Jesus Christus, das Lamm Gottes, das geduldig die Sünde der Welt trug und sie am Kreuz tilgte, ist nun der Bräutigam und seine Gemeinde die Braut. Diese errettete Schar aus allen Völkern, Stämmen und Nationen beschreibt Jesus in Lukas 13,29: „Und es werden kommen von Osten und von Westen, von Norden und von Süden, die zu Tische sitzen werden im Reich Gottes."

5. *Der Himmel, Ort ohne Sünde:* Unsere Welt ist durchdrungen von den Folgen der Sünde: Leid, Not, Schmerz, Geschrei, Krankheit, Krieg und Tod. Im Himmel aber wird „nichts mehr unter dem Bann sein" (Offb 22,3). Gott wird sein alles in allem, und er selbst macht alles neu: „Gott wird abwischen alle Tränen von ihren Augen, und der Tod wird nicht mehr sein, noch Leid, noch Geschrei, noch Schmerz wird mehr sein; denn das erste ist vergangen" (Offb 21,4). Bei solchem Blick kann Paulus auch zeitliche Trübsal erdulden: „Denn ich halte dafür, daß dieser Zeit Leiden der Herrlichkeit nicht wert sei, die an uns soll offenbart werden" (Röm 8,18).

6. *Der Himmel, Ort der Krönung:* Alles, was wir in diesem Leben im Namen des Herrn Jesu tun, hat eine ewigkeitliche

Dimension. Es hat bleibenden Charakter. So kann Paulus am Ende seines irdischen Weges sagen: „Ich habe den guten Kampf gekämpft, ich habe den Lauf vollendet, ich habe den Glauben gehalten; hinfort ist mir bereit die Krone der Gerechtigkeit, welche mir der Herr, der gerechte Richter, an jenem Tage geben wird, nicht mir aber allein, sondern auch allen, die seine Erscheinung liebhaben" (2 Tim 4,7-8). Von solcher Krönung spricht auch der erhöhte Herr in Offenbarung 2,10: „Sei getreu bis an den Tod, so will ich dir die Krone des (ewigen) Lebens geben."

7. *Der Himmel, unser Ziel:* Das höchste uns Menschen gesetzte Ziel ist: Durch den Glauben an Jesus, den Himmel zu erreichen. In 1. Petrus 1,8-9 weist der Apostel auf dieses Ziel hin: „Ihn (= Jesus) habt ihr nicht gesehen und habt ihn doch lieb; ... und freuet euch mit unaussprechlicher und herrlicher Freude, die ihr das Ziel eures Glaubens davonbringt, nämlich der Seelen Seligkeit."

ANHANG

Anmerkungen zur Bibel

Die folgenden Abschnitte behandeln die wichtigsten Grundsätze im Umgang mit der Bibel. Die detaillierte Gliederung nach Themenbereichen und die weitgehende Durchnumerierung sollen das Auffinden erleichtern.

I. Basissätze zur Bibel

In der Wissenschaftstheorie ist es üblich, die notwendigen Anfangsbedingungen zur Wissensgewinnung eines Fachgebietes in Form feststehender Basissätze zu formulieren. Darauf gründend wird dann das gesamte Wissensgebäude errichtet. Wenn diese Methode wegen des andersartigen Wesens der Bibel auch nicht voll auf das Wort Gottes übertragbar ist, so wollen wir unter Beachtung dieser Einschränkung einmal die wesentlichen Basissätze zusammentragen. Diese Sätze sind grundlegend für den Umgang mit der Bibel und sollen insbesondere demjenigen, der noch über wenige Vorkenntnisse verfügt, den Einstieg in dieses „Buch der Bücher" erleichtern. Die folgenden Basissätze bestehen meist aus einem kurzen Aussagesatz, der dann begründet und reichlich mit biblischen Zitaten belegt wird. Für die Bibel (bzw. Teile davon) gibt es eine ganze Reihe synonymer Begriffe, die wir auch in dieser Vielfalt verwenden: Wort Christi (Röm 10,17), des Herrn Wort (1 Sam 15,23), Buch des Herrn (Jes 34,16), Buch (Jer 30,2), Wort der Schrift (Lk 4,21), Schrift (Mt 21,42), heilige Schrift(en) (2 Tim 3,15), Altes und Neues Testament (2 Kor 3,14 bzw. Lk 22,20; nach *Luther*).

I.1 Zur Herkunft der Bibel

B10: *Die Bibel ist die einzige von Gott offenbarte und autorisierte schriftliche Information:* „So spricht der Herr, der Gott

Israels: Schreibe dir alle Worte in ein Buch, die ich zu dir rede"
(Jer 30,2). Als der erhöhte Herr befiehlt Jesus: „Schreibe, denn
diese Worte sind wahrhaftig und gewiß" (Offb 21,5). Dem Wort
der Bibel darf weder etwas hinzugefügt noch etwas davon weg-
gelassen werden (Offb 22,18-19), darum sind alle anderen als
Offenbarung bezeichneten Bücher (z. B. das Buch Mormon der
Mormonen, der Koran des Islam) menschliche Erfindungen. In
Galater 1,8 wird die Einzigartigkeit biblischer Offenbarung herausgestellt und auch die Konsequenz jeder Veränderung der
Botschaft durch Menschen genannt: „Aber wenn auch wir oder
ein Engel vom Himmel euch würde Evangelium predigen anders
als wir euch gepredigt haben, der sei verflucht."

B11: *Die Herkunft der Bibel ist menschlich letztlich nicht be-
greifbar,* auch wenn dies manchmal so anklingt (Lk 1,1-4). Es
bleibt für uns ein unergründliches Geheimnis, wie die Infor-
mationsübertragung von Gott zu den Schreibern der Bibel geschah. Die Ausdrucksweisen „ich (= Gott) lege meine Worte
in deinen Mund" (Jer 1,9), „des Herrn Wort geschah zu mir"
(Hes 7,1) oder „ich (= Paulus) habe es durch eine Offenbarung Jesu Christi empfangen" (Gal 1,12) vermitteln uns den
gewissen Eindruck, daß wir es bei der Bibel mit einer göttlichen Informationsquelle zu tun haben, aber auf welche Art
und Weise die Schreiber den Inhalt der Botschaft empfangen
haben, bleibt offen.

B12: *Die göttliche Seite der Bibel:* Die eigentliche Urheber-
schaft der Bibel ist göttlich. Nach 2. Timotheus 3,16 ist **alle**
Schrift von Gott eingegeben (griech. *theopneustos* = „gottge-
geistet", von Gott und dem Heiligen Geist gegeben, von Gott
eingehaucht). Die Informationsquelle ist Gott der Vater, der
Sohn Gottes und der Heilige Geist:

a) *Gott der Vater:* „Nachdem vorzeiten Gott manchmal und
auf mancherlei Weise geredet hat zu den Vätern durch die
Propheten, hat er in diesen letzten Tagen zu uns geredet durch
den Sohn" (Hebr 1,1-2).
b) *Jesus Christus:* „Sehet zu, daß ihr den (= Jesus) nicht ab-
weiset, der da redet. Denn wenn jene nicht entronnen sind, die

Gott abwiesen, als er auf Erden redete, wieviel weniger wir, wenn wir den (= Jesus) abweisen, der vom Himmel redet" (Hebr 12,25).

c) *Der Heilige Geist:* „Von dem heiligen Geist getrieben, haben Menschen im Namen Gottes geredet" (2 Petr 1,21).

B13: *Die menschliche Seite der Bibel:* Das Wort Gottes liegt uns in „irdenen Gefäßen" vor, d. h. die göttlichen Gedanken von der Unausforschbarkeit der Wege Gottes, der Unfaßbarkeit seiner Liebe und Barmherzigkeit sind in der begrenzten Ausdrucksfähigkeit menschlicher Sprache wiedergegeben, dennoch sind die Worte erfüllt von „Geist und Leben" (Joh 6,63).

I.2 Zum Wahrheitsgehalt der Bibel

B20: *Das Wort der Bibel* **ist** *unverbrüchliche Wahrheit:* „Dein Wort **ist** die Wahrheit" (Joh 17,17). Auch das AT bestätigt diesen Wesenszug: „Gott ist nicht ein Mensch, daß er lüge, noch ein Menschenkind, daß ihn etwas gereue. Sollte er da etwas sagen und nicht tun? Sollte er etwas reden und nicht halten?" (4 Mo 23,19). In Johannes 14,6 bezeugt Jesus nicht nur, daß er die Wahrheit sagt, sondern daß er die Wahrheit in Person ist. Der Schriftsteller *Manfred Hausmann* bemerkte zum Wesen der Wahrheit: „Die Wahrheit ist unendlich viel größer und tiefer als die Richtigkeit."

B21: *Zwischen Jesus und dem Wort Gottes besteht eine Einheit:* Jesus Christus und das Wort Gottes bilden eine unauslotbare Einheit (Joh 1,1-4; Offb 19,13). Während seiner Erdenzeit war Jesus wahrer Mensch und wahrer Gott zugleich. Er war der Sohn Gottes und ebenso der Menschensohn. „Er ward gleich wie ein anderer Mensch und an Gebärden als ein Mensch erfunden" (Phil 2,7), **aber** im Gegensatz zu allen anderen Menschen war er ohne Sünde. Entsprechendes gilt für das Wort Gottes: Es wurde äußerlich gleich anderen Büchern und als ein Buch mit vielen literarischen Gattungen erfunden, **aber** im Gegensatz zu allen sonstigen Büchern ist es Gottes

Wort, das unfehlbar, absolut wahr (Ps 119,160) und völlig makellos ist (Spr 30,5). B21 faßt die Sätze B12 und B13 zusammen.

B22: *Es gibt keine unterschiedliche Qualität in der Wahrheitsaussage bezüglich der biblischen Bücher oder der in den Dienst genommenen Schreiber.* So kann das AT nicht gegen das NT (oder umgekehrt) ausgespielt werden oder die Evangelien nicht gegen die Paulusbriefe, denn alle Schriften beruhen auf Offenbarung (Gal 1,11). Die Bedeutungstiefe der Aussagen hingegen ist keineswegs immer gleich. So ist die heilsgeschichtliche Gedankentiefe von Johannes 3,16 nicht vergleichbar mit dem Reisedetail von Apostelgeschichte 27,13 und der Schöpfungsbericht nach 1. Mose 1 hat einen anderen Stellenwert als das Verzeichnis der zurückkehrenden Juden nach Esra 2 (vgl. auch Satz B50).

I.3 Zur Prüfung der biblischen Wahrheit

B30: *Die Wahrheit der Bibel ist prüfbar.* Gott erwartet keinen blinden Glauben, sondern er gibt uns überzeugende Prüfmaßstäbe, die uns zur Erkenntnis der Wahrheit verhelfen:

1. *Prüfung am Leben:* Jesus lehrt die Prüfbarkeit des Wortes, indem wir es in unserem Leben anwenden: „Meine Lehre ist nicht mein, sondern des, der mich gesandt hat. Wenn jemand will des Willen tun, der wird inne werden, ob diese Lehre von Gott sei, oder ob ich von mir selber rede" (Joh 7,16-17).
2. *Prüfung an der eigenen Freiheit:* Jesus lehrt, daß die Anwendung eines irrenden Systems knechtet (Ideologien und Sektensysteme versklaven den Menschen), die Umsetzung seiner Gedanken hingegen befreit: „Wenn ihr bleiben werdet an meiner Rede, so seid ihr in Wahrheit meine Jünger und werdet die Wahrheit erkennen, und die Wahrheit wird euch frei machen" (Joh 8,31-32).
3. *Prüfung durch Annahme:* Wie der Geschmack einer Apfelsine nur durch Probieren kennenzulernen ist, so wird die Wahrheit der Bibel durch Lesen und Annehmen offenbar. Dis-

kussion oder Disputation können intensives Bibelstudium nicht ersetzen. Die Beröer handelten vorbildlich: „Diese waren besser als die zu Thessalonich; die nahmen das Wort ganz willig auf und forschten täglich in der Schrift, ob sich's so verhielte" (Apg 17,11).

4. *Prüfung am Ergebnis:* Wer sich stets nach Gottes Wort richtet und den Anweisungen gehorsam ist, dessen Leben wird deutlich sichtbar gelingen (siehe auch Frage FB2): „Und laß das Buch dieses Gesetzes nicht von deinem Munde kommen, sondern betrachte es Tag und Nacht, auf daß du haltest und tuest allerdinge nach dem, was darin geschrieben steht. Alsdann wird es dir gelingen in allem, was du tust, und wirst weise handeln können" (Jos 1,8).

5. *Prüfung als Predigthörer:* Eine besondere Verheißung hat Gott auf das Hören biblischer Predigt gelegt. Wer mit offenem Herzen Gottes Wort hört, wird zum Glauben kommen: „So kommt der Glaube aus der Predigt, das Predigen aber durch das Wort Christi" (Röm 10,17).

6. *Prüfung am eigenen sündigen Wesen:* Wohl nirgends in der Bibel finden wir uns in unserer Existenz so echt angesprochen, als wenn es um unser sündhaftes Wesen geht. Wer hier vor sich ehrlich bleibt, der erkennt die Wahrheit der Bibel an der uns gegebenen persönlichen Diagnose: „Denn es ist hier kein Unterschied: sie sind allzumal Sünder und mangeln des Ruhmes, den sie bei Gott haben sollten" (Röm 3,23). Man trifft wohl nie einen Menschen, der das Wort aus 1. Johannes 1,8 als für ihn nicht zutreffend abweist: „Wenn wir sagen, wir haben keine Sünde, so verführen wir uns selbst, und die Wahrheit ist nicht in uns."

Anmerkung: Es fällt auf, daß sich die Wahrheit der Bibel nur dem gehorsam Handelnden erschließt. Wer nur rein intellektuell und losgelöst von der eigenen Person mit der Bibel umgeht, der findet keinen Zugang (1 Kor 1,19).
So können mathematisch überzeugende Rechnungen (siehe Frage FB1) zwar eine Hilfe sein, aber der Schritt zum Glauben bleibt eine individuelle Entscheidung. Die Zusagen Gottes können nur im Glauben angenommen oder im Unglauben abgewiesen werden.

I.4 Zur Thematik der Bibel

B40: *Die Bibel spricht von Jesus.* Dies gilt nicht nur für das NT, denn auch bezüglich des AT lehrt Jesus: „Ihr suchet in der Schrift; denn ihr meinet, ihr habt das ewige Leben darin; und sie ist es, die von mir zeuget" (Joh 5,39). Vom NT gewinnen wir erst den rechten Zugang zum AT, weil sich dessen Schriften auf Christus beziehen. Dieses Prinzip hat Jesus den Jüngern auf dem Weg nach Emmaus erschlossen (Lk 24,13-35). Damit ist auch der Hauptzweck der Bibel angesprochen, der in Johannes 20,31 hervorgehoben ist: Sie wurde „geschrieben, daß ihr glaubet, Jesus sei der Christus, der Sohn Gottes, und daß ihr durch den Glauben das Leben habet in seinem Namen."

B41: *Die Bibel spricht von irdischen und von himmlischen Dingen* (Joh 3,12). Zu den irdischen Dingen gehören z. B. historische Abläufe, Reisebeschreibungen, persönliche Begegnungen, Gesetzesvorschriften, Gemütsbeschreibungen, Familienchroniken, Stammbäume, Missionsberichte, Alltagsfragen und naturwissenschaftliche Angaben. Neben diesen auch von Gott für wichtig erachteten Aussagen richtet die Bibel unseren Blick immer wieder auf die himmlischen Dinge (Mt 6,33; Kol 3,2): auf Gott, Jesus Christus und den Heiligen Geist, auf das Reich Gottes, auf Auferstehung und Gericht, auf den Himmel und die Ewigkeit.

B42: *Die Bibel gibt die realistischste Schilderung des Menschen.* Die Männer und Frauen der Bibel werden nicht als Helden glorifiziert, sondern in all ihrer Schwachheit und Fehlerhaftigkeit, in ihrem Versagen, aber auch in ihrem vorbildlichen Tun wahrheitsgetreu gezeichnet. Sogar bei David, dem „Mann nach dem Herzen Gottes" (1 Sam 13,14; Apg 13,22), werden die Verfehlungen nicht retuschiert (2 Sam 11).

B43: *Die biblische Offenbarung ist der Schlüssel zum Verständnis dieser Welt.* Sie ist die grundlegende und durch nichts zu ersetzende Informationsquelle. Insbesondere bleibt die Gegenwart ohne die drei bezeugten Ereignisse der Vergangenheit

Schöpfung, Sündenfall und *Sintflut* unerklärbar. Daraus folgen fünf abgeleitete Unterbasissätze (ausführlicher in [G6]):

1. *Die Vergangenheit ist der Schlüssel zur Gegenwart.* Dieser Satz ist die Umkehrung zu jenem Basissatz der Evolutionslehre, wonach aus heutigen Beobachtungsdaten zeitlich beliebig weit rückwärts extrapoliert werden kann.

2. *Die Schöpfungsfaktoren erschließen sich nur durch den Glauben* (Hebr 11,3). Die verschiedenen Schöpfungsfaktoren sind an zahlreichen Stellen der Bibel bezeugt:

– durch das Wort Gottes: Ps 33,6; Joh 1,1-4; Hebr 11,3
– durch die Kraft Gottes: Jer 10,12
– durch die Weisheit Gottes: Ps 104,24; Spr 3,19; Kol 2,3
– durch den Sohn Gottes: Joh 1,1-4; Joh 1,10; Kol 1,15-17; Hebr 1,2b
– nach den Wesensmerkmalen Jesu: Mt 11,29; Joh 10,11; Joh 14,27
– ohne Ausgangsmaterial: Hebr 11,3
– ohne Zeitverbrauch: Ps 33,6

3. *Der Tod ist eine Folge der Sünde der ersten Menschen* (1 Mo 2,17; 1 Mo 3,17-19; Röm 5,12; Röm 5,14; Röm 6,23; 1 Kor 15,21).

4. *Von den Auswirkungen des Sündenfalles des Menschen ist auch die gesamte sichtbare Schöpfung mitbetroffen* (Röm 8,20+22). Die destruktiven Strukturen in der Biologie (z. B. Bakterien als Krankheitserreger, Parasitismus, Tötungsmechanismen bei Schlangen, Spinnen und Raubtieren, fleischfressende Pflanzen, Mühsal durch „Dornen und Disteln") sind nicht losgelöst vom Sündenfall zu erklären. Ebenso hat die überall zu beobachtende Vergänglichkeit hierin ihre Ursache.

5. *Die heutige Geologie der Erde kann nicht ohne die Sintflut gedeutet werden.*

I.5 Zu den Aussagen der Bibel

B50: *Das Gewicht (Bedeutung, Gedankentiefe) biblischer Aussagen ist nicht überall gleich,* dennoch gibt es keine unwichtige Information. Dieser Aspekt wird sofort einsichtig, wenn man z. B. Johannes 3,16 mit Apostelgeschichte 18,1 vergleicht (vgl. Satz B22).

B51: *Die Bibel enthält alle für uns notwendigen Grundsätze.* Sie ist in dem Sinne vollständig, als sie alles Notwendige beinhaltet, um sowohl in diesem Leben zurechtzukommen als auch das ewige Ziel zu erreichen: „Suchet nun in dem Buch des Herrn und leset! es wird nicht an einem ... fehlen; man vermißt auch nicht dies noch das" (Jes 34,16).

B52: *Die Bibel widerspricht sich nirgends selbst.* Meistens lösen sich scheinbare Widersprüche bei intensiver Betrachtung rasch auf. Die häufigsten Ursachen für solcherlei Widersprüche ist die Nichtbeachtung einiger biblischer Prinzipien:

1. *Die Bibel berichtet oft nur sehr knapp:* So wird die Bekehrungsgeschichte des Levi (= Matthäus) in nur einem Vers geschildert (Mt 9,9). Ebenso findet die oft gestellte Frage nach den Frauen der Söhne Adams ihre Antwort in den knappen, nicht auf Vollständigkeit abgestellten Berichten der Bibel. Die Lösung des Problems ist aber häufig durch Schlußfolgerung möglich: Nach 1. Mose 5,4 zeugte Adam Söhne und Töchter. In der Anfangssituation heirateten also die Geschwister untereinander; in der nächsten Generation waren es Cousinen und Cousins. So nahe an der Schöpfung war Inzucht nicht schädlich.

2. *Zu manchen Geschehnissen gibt es in der Bibel Parallelberichte mit anderen Aspekten.*
Beispiel 1: Die Stammbäume Jesu nach Matthäus 1,1-17 und Lukas 3,23-38 haben eine unterschiedliche Zielsetzung. Im ersten Fall wird über Maria die königliche Abstammung über David („Sohn Davids") gezeichnet und im anderen Fall ist es der Stammbaum Josephs.
Beispiel 2: Die verschiedenen Berichte über die Auferstehung Jesu differieren in unwesentlichen Details.

3. *Manche geistlichen Aussagen geben nur in ihrer Komplementarität den wirklichen Sinn wieder.* Die Physik des Lichtes läßt sich vollständig nur in komplementärer (lat. *complementum* = Ergänzung) Weise beschreiben: Einerseits verhält sich das Licht nach Wellen – andererseits nach Materieeigenschaften (Photonen). Erst wenn beide sich eigentlich widersprechenden Verhaltensweisen kombiniert werden, wird die Wirklichkeit richtig erfaßt. Solche Komplementäraussagen kennt die Bibel auch. So gibt es für den rettenden Glauben zwei komplementäre, d. h. sich scheinbar widersprechende, aber in Wirklichkeit ergänzende Aussagen (siehe auch Frage FH1):

a) „So halten wir nun dafür, daß der Mensch gerecht werde ohne des Gesetzes Werke, allein durch den Glauben" (Röm 3,28; *Luther*).

b) „So sehet ihr nun, daß der Mensch durch Werke gerecht wird, nicht durch Glauben allein" (Jak 2,24).

4. *Manche Probleme ergeben sich durch die jeweilig verwendete Übersetzung.* Beispiel: Nach der Lutherübersetzung vergräbt Jakob die Götzen unter einer Eiche (1 Mo 35,4). Die dem Grundtext stärker verpflichtete Elberfelder Übersetzung beläßt es bei der Terebinthe.

Merksatz: „Die Menschen lehnen die Bibel nicht ab, weil sie sich selbst widerspricht, sondern weil sie dem Menschen widerspricht."

5. *In Einzelfällen ist die Auflösung scheinbarer Widersprüche schwierig, aber prinzipiell möglich.* Beispiele hierfür sind: Der Tod Judas (Mt 27,5b → Apg 1,18); der Inhalt der Bundeslade (1 Kön 8,9 → Hebr 9,4); der Tod Sauls (1 Sam 31 → 2 Sam 1). *Erklärungsbeispiel:* Nach Matthäus 27,5 erhängte sich Judas, während es an anderer Stelle heißt: „Er stürzte vornüber und ist mitten entzweigeborsten und all sein Eingeweide ausgeschüttet" (Apg 1,18). Diese beiden Aussagen über den Tod des Judas scheinen sich zu widersprechen. Sie passen hingegen zusammen, wenn man die letztere Aussage als eine Beschreibung in stark bildlicher Sprache auffaßt, etwa wie wir sagen würden „Er war völlig am Boden zerstört" (siehe Satz B59).

B53: *Die Bibel ist das einzige Buch mit echten prophetischen Angaben,* die sich in Raum und Zeit nachprüfbar erfüllt haben (siehe auch Frage FB1).

Definition für Prophetie: Prophezeiung ist die sichere Vorhersage eines bestimmten freien Ereignisses der Zukunft, die nicht mit normalen Mitteln der menschlichen Erkenntnis geschieht. Prophetie ist also die frühere Bekanntgabe späterer Ereignisse im Gegensatz zur Geschichtsschreibung, bei der es sich um die spätere Bekanntgabe früherer Ereignisse handelt. Jesus verweist in Johannes 13,19 auf die glaubensstärkende Absicht der dem Ereignis vorangehenden Prophetie: „Jetzt sage ich es euch, ehe es geschieht, damit, wenn es geschehen ist, ihr glaubet, daß ich es bin."

B54: *Gott beginnt häufig seine Offenbarung mit einer Detailaussage, die dann Stufe um Stufe weiter entfaltet wird.* Das markanteste Beispiel für diese Vorgehensweise sind die Verheißungen auf das Kommen Jesu in diese Welt [G1, 110-117].

B55: *Bei oberflächlichem Lesen der Texte besteht die Gefahr, Detailaussagen als unbedeutende Nebensächlichkeiten einzuschätzen.* Im Gesamtzusammenhang haben sie meist eine tiefer gehende Bedeutung.
Beispiel 1: Die römische Vorgehensweise, den Gekreuzigten die Beine zu brechen, wurde zwar bei den Schächern, nicht aber bei Jesus nach der Kreuzigung angewandt (Joh 19,32-36). Die prophetische Begründung aus 2. Mose 12,46 „Ihr sollt ihm kein Bein zerbrechen" (Joh 19,36b) ist deswegen schwer zu erkennen, weil es in der alttestamentlichen Bezugsstelle um das Passahlamm geht.
Beispiel 2: Jesus mußte gemäß alttestamentlichem Hinweis außerhalb der Stadtmauer Jerusalems gekreuzigt werden, weil zu alttestamentlicher Zeit die Opfertiere außerhalb des Lagers verbrannt wurden (3 Mo 16,27; Hebr 13,11-12).

B56: *Die biblischen Aussagen sind von einer Aussagetiefe, deren Grund menschlich nicht auslotbar ist* (1 Kor 13,12). Georg Huntemann stellt fest: „Was die Bibel uns eigentlich sagen will, beginnt jenseits dessen, was der Verstand erforschen kann."

B57: *Die Reichweite biblischer Aussagen übertrifft alles menschliche Denken.* Der zeitliche Rahmen liegt in der Spanne von „ehe der Welt Grund gelegt war" (Eph 1,4) und reicht bis in Gottes Ewigkeit (Offb 22,5). Die Bibel beantwortet uns all jene Fragen, die keine Naturwissenschaft zu beantworten vermag:

- Was ist das Wesen des Todes? Warum gibt es ihn, und wie lange wird es ihn geben?
- Was ist der Mensch? Woher kommen wir? Wozu leben wir, und wohin gehen wir?
- Was wird in der Ewigkeit sein?

B58: *Die Bibel ist ein literarisches Sonderwerk.* Es gehört zum Sprachreichtum der Bibel, ihre Botschaft in einer so großen Fülle literarischer Gattungen und stilistischer Mittel darzubieten, wie wir sie in keinem sonstigen Buch vorfinden:

Gedicht (Ps 119), Hymnus (Kol 1,15-17), Liebeslied (Hohelied Salomos), wissenschaftlicher Bericht in Alltagssprache (1. Mose 1), historischer Bericht (Buch Esra), Gleichnis (allgemeine Situation aus dem täglichen Leben als Vergleichspunkt; Mt 13,3-23), Parabel (griech. *parabole* = Nebeneinandergestelltes; spezielle und einmalige Situation als lehrhafte Erzählung zur gleichnishaften Deutung; Lk 18,1-8), bildhafte Rede (Joh 15,1), prophetische Bildrede (Offb 6), prophetische Rede (Mt 24), Paradoxon (Phil 2,12-13), Predigt (Apg 17,22-31), Ermahnung (Kol 3,16-17), Lobpreis (Eph 1,3), Segensformel (Phil 4,7), Lehre (Röm 5,12-21), Familienchronik (1 Chr 3), Gebet (Ps 35), persönliches Zeugnis (1 Joh 1,1-2), Traumschilderung (1 Mo 37,6-7), direkte Rede Gottes (Mt 3,17), seelsorgerliches Gespräch (Joh 4,7-38), Berichte über Disput (Apg 15,7-21) und Gerichtsverhandlung (Joh 18,28-38), Weisheitsspruch (Spr 13,7), Verheißung (Mk 16,16), Gerichtswort (Mt 11,21-24), Rätsel (Ri 14,12-14), Gesetzgebung (bürgerlich, strafrechtlich, sittenrechtlich, rituell, gesundheitlich), lyrische Poesie (Hohelied Salomos), Biographie (Buch Nehemia), persönliche Korrespondenz (Brief des Paulus an Philemon), Tagebuch (Apg 16), Monolog (Hiob 32-37), Dialog (Hiob 3-31), Apokalyptik (Dan, Offb), zeitweilige Verschlüsselung (Dan 12,9), Prolog (griech. *prólogos* = Vorrede; Lk 1,1-4), Epilog (griech. *epilógos* = Nachrede; Joh 21,25), Ellipse (griech. *élleipsis* = Auslassung; stilistisches Mittel, das Unwichtiges ausläßt; Mt 9,9) Metapher (griech. *metaphorá* = Übertragung; bildhafter, im übertragenen Sinn gebrauchter Ausdruck; Ob 4), Inschrift (Joh 19,19), Chiffre (Offb 13,18).

Hingegen kennt die Bibel nicht: Sage, Legende, Mythos, Märchen, Glosse, Satire, Komödie, Witz, Utopie, Science fiction. Die Stilfiguren Hyperbel (griech. *hyperbállein* = über das Ziel hinauswerfen; Übertreibung: Mt 11,18) und Ironie (griech. *eironeía* = Verstellung; 2 Kor 12,11) kommen gelegentlich als deutlich erkennbare Stilmittel vor.

Kein Buch der Weltgeschichte hält eine so breite Palette von Ausdrucksformen bereit, und kein Buch ist in all seinen Aussagen zugleich so ausschließlich Wahrheit.

B59: *Die Bibel schöpft den Reichtum aller sprachlichen Mittel aus.* Neben der am häufigsten anzutreffenden direkten Aussageform treten in der Bibel zahlreiche spezifische Redeformen auf:

1. *Phänomenologische Sprache:* Statt des manchmal unanschaulichen ursächlichen Tatbestandes wird die Erscheinung aus der Sicht des Beobachters beschrieben: Die moderne Astronomie wie auch die Bibel sprechen vom Sonnenaufgang und Sonnenuntergang, obwohl diese Erscheinung nicht durch den „Lauf der Sonne", sondern durch die Erddrehung zustandekommt.

2. *Idiomatische Redewendungen:* Kurze Redewendungen sind in bestimmten Situationen treffender als lange Ausführungen (Ri 14,18: „mit meinem Kalb gepflügt").

3. *Dichterische Sprachschönheit:* Hoheslied 8,3: „Seine Linke liegt unter meinem Haupt, und seine Rechte herzt mich."

4. *Umschreibungen und Bilder für heutige Fachbegriffe in Wissenschaft und Technik:* Die Bibel beschreibt technische Errungenschaften, die es zum Zeitpunkt ihrer Entstehung noch gar nicht gab oder Situationen, die die Wissenschaft heute mit Fachbegriffen belegt hat: Statt Satelliten, Spacelabs und Orbitalstationen sagt die Bibel bildhaft: „Wenn du gleich in die Höhe führest wie ein Adler und machtest dein Nest zwischen den Sternen" (Ob 4). Statt in gynäkologischer Fachsprache von der Ontogenese (Embryonalentwicklung) im Uterus zu reden, umschreibt die Bibel die Bildung des Kindes im Mutterleib: „Es war dir mein Gebein nicht verhohlen, da ich im Verborgenen gemacht ward, da ich gebildet ward unten in der Erde" (Ps 139,15).

5. *Naturwissenschaftlich sachliche Formulierung:* Der Schöpfungsbericht ist ein treffendes Beispiel hierfür, wo z. B. in physikalisch exakter Weise Zeitmeßmethode und Definition der Einheit gemeinsam genannt sind (1 Mo 1, 14+19).

6. *Bilder aus dem Alltag zur Erklärung geistlicher Zusammenhänge:* So ist im Gleichnis nach Matthäus 13,3-23 der Sämann der Verkündiger der biblischen Botschaft, der Same das Wort Gottes, die Dornen das Hemmnis und das gute Land die offenen Herzen der Menschen.

B591: *Unter Beachtung der jeweiligen literarischen Gattung (Satz B58) und Redeform (Satz B59) ist jeder biblische Text genau zu nehmen.* Die Aussagen sind also entweder wörtlich genau aufzufassen oder sinngetreu und präzise zu übertragen.

a) *wörtlich genau:* In Lukas 24,44 lehrt Jesus diesen Umgang mit der Schrift: „Das ist's, was ich euch sagte, als ich noch bei euch war; es muß alles erfüllt werden, was von mir geschrieben ist im Gesetz des Mose, in den Propheten und in den Psalmen." Auch an anderen Stellen wird diese Vorgehensweise betont: „ ...auf daß erfüllt würde, was der Herr durch den Propheten gesagt hat" (Mt 2,15); „heute ist dies Wort der Schrift erfüllt vor euren Ohren" (Lk 4,21); „habt ihr nie gelesen in der Schrift?" (Mt 21, 42).

b) *sinngetreu und präzise übertragen:* Wenn Jesus sagt „Ich bin der Weinstock, ihr seid die Reben" (Joh 15,5), so ist hier keine Buchstäblichkeit anwendbar, sondern die sinngetreue Übertragung geboten. Der beabsichtigte Sinn ist meist leicht erkennbar, da die Bildrede ja dazu dienen soll, die Anschaulichkeit zu steigern und die Einsicht zu erleichtern. In diesem Fall ist die Kernaussage noch zusätzlich angefügt: „Ohne mich könnt ihr nichts tun."

I.6 Zum Wert biblischer Aussagen

B60: *Die Botschaft der Bibel ist die kostbarste Information, die es gibt.* Der bekannte Evangelist *Wilhelm Pahls* hebt zu Recht hervor: „Das Evangelium ist die beste Botschaft, die je den Menschen gesagt ist. Nie ist uns Menschen auch nur etwas Vergleichbares verkündigt worden." Im 119. Psalm wird der alles überragende Wert des Wortes Gottes mehrfach gelobt: „Das Gesetz deines Mundes ist mir lieber denn viel tausend Stück Gold und Silber" (Vers 72). „Ich freue mich über dein Wort wie einer, der eine große Beute kriegt" (Vers 162).

B61: *Wer Gottes Wort verwirft, dem wird es zum Gericht.* So wie die Predigt des Wortes Gottes zum Glauben (Röm 10,17) und dadurch zur Errettung führt, bringt die Ablehnung und Verwerfung in die Verlorenheit:
1. Samuel 15,23: „Weil du nun des Herrn Wort verworfen hast, hat er dich auch verworfen."
Johannes 8,47: „Wer von Gott ist, der hört Gottes Worte; darum höret ihr nicht, denn ihr seid nicht von Gott."
Apg. 13,46: „Euch mußte zuerst das Wort Gottes gesagt werden; nun ihr es aber von euch stoßet, achtet ihr euch selbst nicht wert des ewigen Lebens."

B62: *Die Bibel besteht aus dem Alten und dem Neuen Testament.* Beide Teile sind gleichermaßen Gottes Wort und können nicht gegeneinander ausgespielt werden. Im NT werden häufig Aussagen des AT zitiert. Dieses geschieht bemerkenswerterweise meist nicht wörtlich, sondern Gott verbindet damit einen Offenbarungsfortschritt. Im NT erfüllen sich zentrale alttestamentliche Verheißungen: „Diese (Menschen des AT) haben durch den Glauben das Zeugnis Gottes empfangen und doch nicht erlangt, was verheißen war, weil Gott etwas Besseres für uns zuvor ersehen hat" (Hebr 11,39-40). Schon im AT findet man den Herrn Jesus:„Ihr suchet in der Schrift, denn ihr meinet, ihr habt das ewige Leben darin; und sie ist es, die von mir zeuget" (Joh 5,39).

B63: *Die* (alttestamentlichen) *Apokryphen* (griech. *apókryphos* = versteckt, heimlich, unecht) *sind nicht als Gottes Wort zu* *bezeichnen*. Sie sind zeitlich zwischen AT und NT entstanden. Die wichtigsten Einwände für die Nichtgleichwertigkeit zur Bibel sind:

1. *Sie enthalten einige der Bibel widersprechende Lehren* (Verletzung von Auslegungsgrundsatz A3, siehe Anhang Teil II) wie Sündenvergebung durch Almosengabe (Tob 12,9), Befürwortung magischer Praktiken (Tob 6,9), Sündenvergebung für Tote durch das Gebet der Lebenden (2 Makk 12,46).

2. *Sie waren nie Bestandteil des jüdischen Kanons,* da es sich um spätere Zusätze handelt. Die Apokryphen blieben darum immer umstritten. Das Dogma der katholischen Kirche vom Konzil zu Trient stellte 1546 die Apokryphen gleichberechtigt neben AT und NT und ist als Reaktion auf die Reformation aufzufassen.

3. *Sie werden von keinem Schreiber des NT zitiert,* obwohl im NT bis auf vier kurze Schriften alle Bücher des AT einbezogen werden.

4. *Die Apokryphen verstehen sich selbst nicht als fehlerfrei.* In der Vorrede des Buches Sirach heißt es: „Darum bitte ich, ihr wollet es freundlich annehmen und mit Fleiß lesen und uns zugut halten, so wir etwa in einigen Worten gefehlt haben, obwohl wir allen Fleiß getan haben, recht zu dolmetschen."

Bewertung der Apokryphen: Sollte man die Apokryphen völlig verwerfen? *Luther* gab die treffende Formulierung, die er diesen Schriften voranstellte:
„Das sind Bücher, so der Heiligen Schrift nicht gleich gehalten, und doch nützlich und gut zu lesen sind." Diese Haltung vertritt auch der Autor des vorliegenden Buches. Wenn wir die Apokryphen nicht mit der Gewichtung der Bibel lesen, sondern im Sinne einer Dichtung und als geschichtlich bemerkenswerte Bücher (wie z. B. die Makkabäer), werden wir dennoch manchen Nutzen daraus ziehen. Insbesondere ist das Buch Sirach zu schätzen, da es zu allen möglichen Situationen des Lebens ausführlich Stellung bezieht und dieses in star-

ker inhaltlicher und formaler Anlehnung an die Weisheitsbücher der Bibel geschieht, ohne den Anspruch zu haben, Wort Gottes zu sein.

I.7 Zur Verständlichkeit und zum Verständnis der Bibel

B70: a) *Die Bibel ist auf leichte Verständlichkeit angelegt:* „Denn wir schreiben euch nichts anderes, als was ihr leset und auch verstehet" (2 Kor 1,13).
b) *Die Bibel enthält aber auch so große Gedanken, die für uns nicht auslotbar sind:* „Denn meine Gedanken sind nicht eure Gedanken, und eure Wege sind nicht meine Wege, spricht der Herr; sondern soviel der Himmel höher ist denn die Erde, so sind auch meine Wege höher denn eure Wege und meine Gedanken denn eure Gedanken" (Jes 55,8-9).

Auf das Sowohl-Als-Auch dieser beiden Aspekte hat bereits *Spurgeon* verwiesen [G1, 94]: „In der Bibel sind große Wahrheiten zu finden, die über unser Fassungsvermögen hinausgehen und uns zeigen, wie flach unsere begrenzte Vernunft ist. Aber in den Haupt- und Fundamentalaussagen ist die Bibel nicht schwer zu verstehen." Die Gedanken der Bibel sind jedermann zugänglich (Apg 17,11), dennoch ist ihre Fülle und ihr Reichtum unerschöpflich (Röm 11,33).

B71: *Die Bibel wurde unter Anleitung des Heiligen Geistes von mehr als 45 in den Dienst gestellten Schreibern verfaßt.* Ebenso kann ihr Inhalt nicht ohne Mithilfe des Heiligen Geistes in rechter Weise verstanden werden: „Der natürliche Mensch aber vernimmt nichts vom Geist Gottes; es ist ihm eine Torheit, und er kann es nicht erkennen; denn es muß geistlich verstanden sein. Der geistliche Mensch aber ergründet alles und wird doch selber von niemand ergründet" (1 Kor 2,14-15).

I.8. Zur Genauigkeit biblischer Aussagen

B80: *Die Bibel ist ein ungeahnt präzises Buch.* Dieser Wesenszug wird offenbar, wenn man sie hinsichtlich ihrer sprachlichen, semantischen, geistlichen, historischen oder naturwissenschaftlichen Aspekte näher untersucht.

Am Beispiel der Verfolgung der Christen soll ein historischer Genauigkeitsaspekt der Bibel hervorgehoben werden. Hieß es in der Anfangszeit der Gemeinde noch: „Männer, die ihr Leben eingesetzt haben für den Namen unseres Herrn Jesus Christus" (Apg 15,26), so heißt es für die Endzeit: „die getötet waren um des Wortes Gottes und um ihres Zeugnisses willen" (Offb 6,9). In unserer Zeit haben alle möglichen Strömungen Jesus in ihr System zu integrieren versucht. Vom Islam ist Jesus als ein Prophet akzeptiert, von der Friedensbewegung als der Friedfertige, von anderen wiederum als der gute Mensch und Sozialreformer. Für *Albert Schweitzer* war der historische Jesus von Interesse. *Carl Friedrich v. Weizsäcker* organisiert ein Friedenskonzil und suggeriert den Menschen, der Friede der Welt sei von uns Menschen machbar. Viele sprechen von Jesus, aber nur insoweit, als er in ihr Konzept paßt. Der Islam leugnet Jesus als den Sohn Gottes. Nur wenn wir an Jesus glauben, „ist er unser Friede" (Eph 2,14), sonst ist er unser Richter (Apg 10,42). Die Friedensbewegung unterscheidet dies ebensowenig wie sie den Jesus ignoriert, der nach Offenbarung 6 als das Lamm die Siegel öffnet und die vier apokalyptischen Reiter als Gericht mit Krieg und Tod auf die Erde schickt. *Franz Alt* schreibt ein Buch über die Bergpredigt, aber er ignoriert den zentralen Befehl Jesu, den breiten Weg der Verdammnis zu verlassen und durch die enge Pforte einzugehen. Jesus kommt überall vor, aber das reicht nicht. In der Bergpredigt mahnt der Herr:

> „Es werden nicht alle, die zu mir sagen: Herr, Herr! in das Himmelreich kommen, sondern die den Willen tun meines Vaters im Himmel. Es werden viele zu mir sagen an jenem Tage: Herr, Herr, haben wir nicht in deinem Namen geweissagt? ... Haben wir nicht in deinem Namen

viele Taten getan? Dann werde ich ihnen bekennen: Ich habe euch nie gekannt; weichet von mir, ihr Übeltäter!" (Mt 7,21-23).

Wer nur die menschlichen Seiten Jesu betont, eckt damit nirgends an. Wir haben aber **den** Jesus zu verkündigen, wie ihn die Schrift bezeugt (Joh 7,38). Der eigentliche Anstoß kommt beim vollen Bezug auf das Wort Gottes. In einer Zeit zunehmender Auflösung aller Maßstäbe werden diejenigen verfolgt, die die Bibel noch in all ihren Aussagen gelten lassen und dafür einstehen mit dem „Es steht geschrieben!" – sei es in dem Festhalten aller Aussagen des Schöpfungsberichtes oder sei es an dem Jesus, von dem die Schrift zeugt. Das Zeugnis zum Worte Gottes und im artikulierten Wort hat die Verheißung der Überwindung (Offb 12,11). Weitere Beispiele sind in [G1, 102-110] aufgeführt.

I.9 Zum Zeitrahmen biblischer Aussagen

B90: *Das Wort Gottes ist zeitlos.* Jesaja stellt die Vergänglichkeit der Pflanzen der Unvergänglichkeit des Wortes Gottes gegenüber: „Das Gras verdorrt, die Blume verwelkt; aber das Wort unseres Gottes bleibt ewiglich" (Jes 40,8), und Jesus setzt die vergänglichen Gestirne in Bezug zu seinen Worten: „Himmel und Erde werden vergehen; aber meine Worte werden nicht vergehen" (Mt 24,35). Von *Luther* stammt der Ausspruch: „Die Bibel ist nicht antik und auch nicht modern, sie ist ewig." Die Bibel ist überzeitlich, da ihre Konzepte und Handlungsperspektiven über den jeweiligen aktuellen Zeitbezug hinausweisen. Obwohl Abtreibung, Gentechnologie und Drogenkonsum nicht erwähnt werden, ist aus der Bibel eine eindeutige Haltung dazu ableitbar. Von solcher Durchdringungstiefe ist kein anderes Buch. So kann z. B. die menschliche Justiz keine Rechtsprechung durchführen, wenn es zu einem neuartigen Themenbereich noch keine Paragraphen gibt.

I.10 Zum Zugang zur Bibel: Die Bekehrung zu Jesus Christus

Nach all diesen Aussagen stellt sich die Frage nach dem Zugang zur Bibel. Wie findet ein noch „Unbedarfter" den rechten Einstieg? Nach einem Evangelisationsvortrag kam ein intellektuell geprägter junger Mann in die Aussprache, der aufrichtig nach dem Zugang zur Bibel suchte. Nachdem ich im Gespräch einige Hindernisse beiseiteräumen konnte, folgerte er jetzt für sich: Jetzt werde er mit den ihm geläufigen philosophischen Denkweisen weiter an der Bibel arbeiten. Ich warnte davor: „Das können Sie tun, aber Sie werden am Ende nicht den in Christus geoffenbarten lebendigen Gott finden, sondern den unpersönlichen, pantheistischen Gott der Philosophen. Die Philosophen haben aus der Sicht ihrer Denkkategorien die Bibel gelesen, aber den Gott, der uns nur in Jesus zum Heil wird, fanden sie nicht." Der junge Mann blieb und ließ sich belehren: „Den Zugang zur Bibel und zum lebendigen Gott können Sie heute abend haben, wenn Sie existentiell mit Ihrem Leben beginnen. Wollen Sie das?"

Im folgenden skizziere ich meinen Gesprächsanteil, um dem Leser beispielhaft an diesem Einzelfall zu zeigen, wie der Zugang zum Glauben geschieht.

B100: *Sich selbst erkennen:* Wir lesen gemeinsam Römer 3,23: „Denn es ist hier kein Unterschied: sie sind allzumal Sünder und mangeln des Ruhmes, den sie bei Gott haben sollten." Dieses Wort zeigt uns unsere Verlorenheit vor dem lebendigen Gott; wir haben durch unsere Sünde, die uns von ihm trennt, keinen Zugang zu ihm und auch nichts, was uns angenehm erscheinen läßt. Kurz: Wir haben keinen Ruhm vor Gott. Seit dem Sündenfall besteht eine Kluft zwischen dem heiligen Gott und uns sündigen Menschen. Können Sie dieser Diagnose Gottes zustimmen?

B101: *Der einzige Ausweg:* Aus diesem Dilemma gibt es nur den einen von Gott selbst geschenkten Ausweg. Am Kreuz wurde der Sohn Gottes für unsere Sünde gerichtet. Jesus ist in die Welt gekommen, um Sünder selig zu machen (Mt

18,11). Außer ihm gibt es keinen anderen Weg des Heils (Apg 4,12). Können Sie das glauben?

B102: *Sünden bekennen:* Wir lesen 1. Johannes 1,8-9: „Wenn wir sagen, wir haben keine Sünde, so verführen wir uns selbst, und die Wahrheit ist nicht in uns. Wenn wir aber unsere Sünden bekennen, so ist er treu und gerecht, daß er uns die Sünden vergibt und reinigt uns von aller Untugend." Jesus hat aufgrund seines Erlösungswerkes auf Golgatha die Vollmacht, Sünde zu vergeben. Wenn wir uns auf seine Zusage berufen und ihm unsere Schuld bekennen und um Vergebung bitten, so ist er treu, d. h. wir können uns darauf verlassen, daß er uns wirklich von der Sündenschuld befreit. Wir müssen es nicht nur bedenken, sondern auch tun! Möchten Sie das? So wollen wir es jetzt dem Herrn Jesus im Gebet sagen (möglicher Inhalt des frei formulierten Gebetes):

„Herr Jesus, ich habe heute von Dir gehört, und ich habe verstanden, warum Du in diese Welt gekommen bist. In Deiner grundlosen Liebe hast Du auch mich erfaßt. Du siehst alle meine Schuld – was mir im Augenblick gegenwärtig ist und auch, was mir jetzt verborgen ist. Du aber weißt alles, jedes schuldhafte Verhalten, jede falsche Regung meines Herzens, alles ist bei Dir aufgezeichnet. Ich bin vor Dir ein aufgeschlagenes Buch. Mit meinem Leben kann ich so vor Dir nicht bestehen. So bitte ich Dich jetzt: Vergib mir alle meine Schuld und reinige Du mich gründlich. Amen."

Wir haben dem Herrn jetzt das gesagt, was am Anfang not tut (1 Joh 1,8-9). Hierauf hat sich Gott mit seiner Zusage verbürgt. Was meinen Sie wohl, wieviel Schuld Ihnen jetzt vergeben ist? 80 %? 50 %? 10 %? Hier steht: „er reinigt uns von **aller** Untugend" (1 Joh 1,9). „Ihnen ist **alles** vergeben! Ja, alles: 100 %ig! Das dürfen Sie wissen – also nicht nur annehmen, für möglich halten oder erhoffen. Die Bibel legt Wert darauf, daß wir hierin Gewißheit haben." Wir lesen dazu zwei Stellen: 1. Petrus 1,18-19 und 1. Johannes 5,13.

B103: *Lebensübergabe:* Der Herr Jesus hat Ihnen alle Schuld vergeben, Nun können Sie ihm Ihr Leben anvertrauen. In Johannes 1,12 lesen wir: „Wieviele ihn aber aufnahmen, denen gab er Macht, Gottes Kinder zu werden, die an seinen Namen glauben." Alle diejenigen, die den Herrn Jesus einladen, die Führung ihres Lebens zu übernehmen, erhalten die Vollmacht zur Kindschaft Gottes. Ein Kind Gottes werden wir also nicht, weil wir hier und da etwas Gutes getan haben oder weil wir so fromm sind oder weil wir zu irgendeiner Kirche gehören, sondern weil wir dem Sohn Gottes unser Leben anvertrauen und bereit sind, ihm im Gehorsam zu folgen. Das wollen wir im Gebet festmachen:

„Herr Jesus, Du hast mir alle meine Schuld vergeben. Ich kann es noch gar nicht fassen, aber ich vertraue Deiner Zusage. Und nun bitte ich Dich, ziehe Du in mein Leben ein. Führe mich und leite mich auf dem Weg, den Du mir zeigst. Ich weiß, daß Du es gut mit mir meinst, darum will ich Dir alle Bereiche meines Seins anvertrauen. Laß mich ablegen, was nicht recht vor Dir ist. Schenke mir neue Gewohnheiten mit Dir, die unter Deinem Segen stehen. Und gib mir ein gehorsames Herz, daß ich das tue, was mir Dein Wort sagt. Laß mich nicht auf mancherlei Einflüsse und allerlei Menschenmeinung achten, sondern öffne Du mir die Bibel, daß ich Dein Wort recht verstehe und danach lebe. Du sollst mein Herr sein, und ich möchte Dir nachfolgen. Amen".

B104: *Angenommen:* Der Herr hat Sie angenommen! Er hat Sie teuer erkauft, er hat Sie errettet. Sie sind nun Gottes Kind geworden. Wer Kind ist, ist auch Erbe: Erbe Gottes, Erbe der himmlischen Welt. Können Sie sich vorstellen, was jetzt im Himmel los ist? „ ... vielleicht Freude?" Ja, gewiß! In Lukas 15,10 steht es: „Also auch sage ich euch, wird Freude sein vor den Engeln Gottes über einen Sünder, der Buße tut." Über Ihre Umkehr ist jetzt Freude im Himmel. Der ganze Himmel hat Anteil an diesem Ereignis: Einer nimmt die Botschaft des Evangeliums ernst und läßt sie für sich gelten. Die Bibel nennt diesen Vorgang unserer eigenen Hinwendung zu Jesus

Bekehrung; dabei geben wir die Schuld, und er nimmt sie ab. Gleichzeitig geschieht von Gott aus die *Wiedergeburt* an uns: Er gibt das neue Leben der Kindschaft, und wir nehmen es in Empfang. Bekehrung und Wiedergeburt gehören also zusammen. Es sind die beiden Seiten ein- und derselben Medaille.

B105: *Dank:* Die Erlösung ist ein Geschenk Gottes an uns. Nur durch seine Liebe ist uns der Weg der Errettung ermöglicht worden. Wir können zu dem Erlösungswerk nichts beitragen. Wer etwas geschenkt bekommt, der sagt „Danke!". Das wollen wir jetzt auch tun. Formulieren Sie nun in eigenen Worten ein Gebet des Dankes. Sagen Sie es dem Herrn Jesus jetzt: ...

B106: *Wie geht es weiter?* Nun möchte ich Sie noch auf einige wichtige Punkte verweisen, die sämtlich mit dem Buchstaben „G" beginnen. Die fünf **G**s sind für ein Leben in der Nachfolge Jesu nicht nur sehr wichtig; sie sind die unabdingbaren Voraussetzungen dafür, daß wir praktisch mit Christus leben. Wenn wir die fünf **G**s befolgen, haben wir die Garantieerklärung Gottes, daß wir das Ziel auch wirklich erreichen:

1. Gottes Wort
Es ist die notwendige Nahrung für das neue Leben, das Jesus in Ihnen begonnen hat. Es wäre das beste, wenn Sie sich an jedem Tag – gleich morgens wäre besonders zu empfehlen – die Zeit zum Bibellesen nehmen würden. Machen Sie es doch wie die Christen in Beröa (Apg 17,10-12), die täglich in der Schrift forschten.

2. Gebet
Jesus möchte nicht nur durch sein Wort zu uns reden, er möchte auch, daß wir mit ihm reden. Das tun wir im Gebet. Es ist ein großes Vorrecht, daß wir ihm alles sagen können. Er nimmt Anteil an unseren Freuden und Traurigkeiten. Wir dürfen unsere Pläne und alle nötigen Entscheidungen mit ihm besprechen. Durch Bibellesen und Gebet entsteht ein „geistli-

cher Kreislauf", der für ein gesundes geistliches Leben sehr
wichtig ist.

3. Gehorsam

Gott hat Gefallen daran, wenn wir uns als gehorsame Kinder
erweisen, die nach seinem Wort leben und seine Gebote beachten. Die Liebe zu unserem HERRN können wir nicht besser bezeugen, als daß wir ihm gehorsam sind (1 Joh 5,3). In
dieser Welt werden uns viele Wege angeboten, die Bibel aber
gibt uns einen verbindlichen Maßstab, auf dem der Segen Gottes liegt: „Man muß Gott mehr gehorchen als den Menschen"
(Apg 5,29).

4. Gemeinschaft

Als Gotteskinder brauchen wir die Gemeinschaft mit anderen,
die demselben HERRN folgen. Wenn man eine glühende Koh-
le aus dem Feuer nimmt, erlischt sie sehr schnell. Auch unsere Liebe zu Jesus wird erkalten, wenn sie nicht durch die Gemeinschaft mit anderen Gläubigen brennend gehalten wird.
Wenn wir als Neubekehrte wachsen wollen, brauchen wir die
Liebe, Geborgenheit, Bestätigung und auch die Korrektur einer bibeltreuen Gemeinde. Es ist mein Gebet, daß Sie schnell
Anschluß an eine solche finden, denn eine gute, lebendige Gemeinde ist eine unabdingbare Voraussetzung für unseren Glau-
bensweg und ein gesundes Wachstum im Glauben.

5. Glaube

Nachdem wir durch *Bekehrung* und *Wiedergeburt* im Glauben
begonnen haben, kommt es darauf an, daß wir im Glauben
wachsen und nicht mehr davon ablassen. Paulus schreibt an
Timotheus: „Du aber bleibe in dem, was du gelernt hast"
(2 Tim 3,14). Am Ende seines Lebens konnte Paulus feststellen: „Ich habe den guten Kampf gekämpft, ich habe den Lauf
vollendet, ich habe Glauben gehalten" (2 Tim 4,7). So wollen
wir diesem Vorbild folgen und ebenso treu bleiben.

Die Bekehrung ist also kein Endpunkt, sondern der Startpunkt
des neuen Lebens.

Halten wir fest: Den Zugang zur Bibel gewinnen wir nicht von außen als neutrale Beobachter, sondern nur als „insider". Nur wer sich in Buße und Bekehrung mit seiner persönlichen Existenz in Jesus Christus zu Gott wendet und Rettung erfährt, ist eingestiegen. Der individuelle seelsorgerliche Gesprächsverlauf ist von Fall zu Fall unterschiedlich. Das obige Gespräch gibt aber das Prinzipielle jeder Bekehrung wieder: Sündenerkenntnis – Sündenbekenntnis – Lebensübergabe an Jesus Christus. Von da an beginnt der Prozeß des Wachstums im Glauben.

I.11 Schlußanmerkung

Wir haben den Versuch unternommen, das wesentliche zur Bibel in Form einiger Basissätze zusammenzufassen. Dieses menschliche Unterfangen an einem göttlichen Buch kann nie vollständig und schon gar nicht vollkommen sein, um den Reichtum der Bibel angemessen zu beschreiben.

II. Auslegungsgrundsätze zur Bibel

A1: *Die beste Auslegung zur Bibel ist die Bibel selbst.* Anders ausgedrückt: Es gibt keinen besseren Kommentar zur Bibel als die Bibel selbst. Dieser wichtigste Auslegungsgrundsatz wird von Jesus (z. B. Mt 19,3-6), den Aposteln (z. B. Gal 3,16) und Propheten in der Bibel ständig praktiziert.

A2: *Jesus ist der Schlüssel aller Auslegung.* So bleibt insbesondere das AT ohne die Deutung auf Christus unverständlich (z. B. Ps 110,1; Jes 53; Mal 3,20+23–24).

A3: *Die Auslegungen dürfen nicht im Widerspruch zu anderen Textstellen stehen.* (vgl. hierzu Satz B52).

A4: *Eine Lehre sollte nicht aus nur einem einzelnen Satz oder Vers abgeleitet werden.* Zentrale Aussagen werden in verschiedenen Zusammenhängen wiederholt oder mit anderen Worten formuliert.

Beispiele: Die Sündlosigkeit Jesu (1 Joh 3,5; 1 Petr 2,22; 2 Kor 5,21)

                  Die Sündhaftigkeit aller Menschen (1 Mo 8,21; Ps 14,3; Jes 1,5-6; Mt 15,19; Röm 3,23)

                  Der Erlösungswille Gottes (Hes 34,12; Mt 18,11; 1 Thess 5,9; 1 Tim 2,4)

Beachte: Daß Jesus den Vater liebt (Joh 14,31) und der Vater uns liebt (Joh 16,27), steht zwar jeweils nur ein einziges Mal explizit in der Bibel. In einer Fülle anderer Aussagen sind diese Tatbestände jedoch implizit enthalten oder werden vorausgesetzt. In solchen Fällen ist es sehr wohl erlaubt, dies lehrmäßig auszuformulieren.

A5: *Es ist immer der Textzusammenhang und darüber hinaus der Gesamtkonsens der Bibel zu beachten.* Die Nichtbeachtung dieses Satzes hat zu zahlreichen unbiblischen Sonderlehren und verderblichen Sekten geführt. Querverweise sind von besonders hohem Stellenwert.

A6: *Manche biblischen Lehren sind aus der Gesamtheit gleichartiger Einzelereignisse erschließbar.* Die Bibel ist kein trockenes Gesetz- oder Lehrbuch, sondern in Tausenden von Begebenheiten wird uns beispielhaft sowohl der rechte als auch der verkehrte Umgang mit Gott und Menschen geschildert. Ergründet man das allen Gemeinsame aus thematisch zugehörigen Einzelschilderungen, so kann und soll daraus eine biblische Lehre abgeleitet werden. Ein treffliches Beispiel hierfür ist die detaillierte Darstellung der langen Geschichte Israels in Segen und Gericht (1 Kor 10,11). Bei der Beantwortung der Frage FL6 wird von diesem Auslegungsgrundsatz Gebrauch gemacht.

A7: *Das AT ist der unverzichtbare Zubringer zum NT,* d. h. ohne das AT bleiben viele Teile des NT unverständlich (z. B. Schöpfung, Sündenfall, Sintflut).

A8: *Das NT ist von größerer Offenbarungsweite als das AT.* Schon die Betrachtung des Hebräerbriefes belegt diese Aussage. Am Beispiel der „Rache" wollen wir A8 kurz erörtern: Die menschliche Natur möchte sich im Schadensfall um ein Mehrfaches an dem anderen rächen: „Kain soll siebenmal gerächt werden, aber Lamech siebenundsiebzigmal" (1 Mo 4,24). In den Gesetzen vom Sinai führt Gott ein drastische Schadensbegrenzung auf eine Eins-zu-Eins- Regelung ein: *ein* Auge → *ein* Auge; *ein* Zahn → *ein* Zahn; *eine* Wunde → *eine* Wunde; *eine* Beule → *eine* Beule (2 Mo 21,24-25). In der Bergpredigt vertieft Jesus das alttestamentliche Gesetz, was durch den sechsmaligen Ausdruck „Ich aber sage euch" jeweils eingeleitet wird. In Anwendung von 5. Mose 32,35 auf 2. Mose 21,24-25 verbietet er jegliche Rache: „Ich aber sage euch, daß ihr nicht widerstreben sollt dem Übel; sondern, wenn dir jemand einen Streich gibt auf deine rechte Backe, dem biete die andere auch dar" (Mt 5,39).

A9: *Nirgends in der Bibel wird eine Sünde gutgeheißen, auch wenn sie an der speziellen Stelle nicht gebrandmarkt wird.* Für die Auslegung des „ungerechten Haushalters" nach Lukas 16,1-8 ist dieser Auslegungssatz bedeutungsvoll (siehe [G7]).

A10: *Es soll nicht mehr ausgesagt werden als geschrieben steht:* „Nicht über das hinaus, was geschrieben steht" (1 Kor 4,6).

A11: *Die biblische Wahrheit hat immer Vorrang vor jeder anderen Erkenntnis, sofern die Bibel zu der betreffenden Frage eine Aussage trifft:* „Sehet zu, daß euch niemand einfange durch Philosophie und leeren Trug, gegründet auf der Menschen Lehre und auf die Elemente der Welt und nicht auf Christus" (Kol 2,8).

A12: *Es kommt darauf an, alle textlichen Feinheiten* (grammatische und semantische Details) *auszuschöpfen.* In Galater 3,16 demonstriert Paulus an Hand von 1. Mose 22,18 einen solch genauen Umgang mit der Schrift.

A13: Es gibt genaue (z. B. *Elberfelder, Menge, Schlachter*) und weniger genaue Bibelübersetzungen (z. B. *Gute Nachricht, Bruns*). In Zweifelsfällen ist der Grundtext (Hebräisch für das AT und Griechisch für das NT) heranzuziehen. Die Grundbedeutung eines speziellen Wortes erschließt sich oft aus anderen Textzusammenhängen, in denen es in leichter verständlicher Weise vorkommt. Die verschiedenen im deutschen Sprachraum erhältlichen Übersetzungen gehen von unterschiedlichen Zielsetzungen aus. Die Lutherübersetzung ist durch ihre kernige und treffliche Sprache ausgezeichnet. Besondere Vorsicht ist geboten bei Übertragungen, bei denen der Übersetzer seinen eigenen Kommentar eingebettet hat (z. B. *Zink*). Völlig abzulehnen sind solche „Bibeln", die in bewußter Abweichung vom biblischen Grundtext auf die Lehre einer Sekte abgestimmt sind (z. B. Neue-Welt-Übersetzung der Zeugen Jehovas).

A14: *Manche sich scheinbar widersprechende Aussagen der Bibel ergänzen sich durch ihre Komplementarität.* (vgl. hierzu Satz B52, Pkt. 3.)

III. Warum sollen wir die Bibel lesen?

Das Lesen der Bibel gehört nach dem Willen Gottes – ebenso wie Essen und Trinken – zu den täglich notwendigen Tätigkeiten, darum heißt es in Jeremia 15,16a: „Dein Wort ward meine Speise, da ich's empfing." Die Bibel selbst nennt uns zahlreiche Gründe, warum wir auf ihre Lektüre nicht verzichten können. Die wichtigsten seien im folgenden genannt:

1. *zur Erkenntnis des Wesens Gottes:* Das Wesen Gottes – seine Größe (Ps 19), seine Liebe (1 Joh 4,16), seine Barmherzigkeit (4 Mo 14,18), seine Treue (Ps 25,10), seine Wahrheit (4 Mo 23,19) – erschließt sich uns durch das offenbarte Wort.
2. für den Glauben: „So kommt der Glaube aus der Predigt, das Predigen aber durch das Wort Gottes" (Röm 10,17).
3. zum Glaubenswachstum: „Seid begierig nach der vernünftigen, lauteren Milch wie die neugeborenen Kindlein, auf daß ihr durch dieselbe zunehmet zu eurem Heil" (1 Petr 2,2).
4. zur Heilsgewißheit: „Solches habe ich euch geschrieben, die ihr glaubet an den Namen des Sohnes Gottes, auf daß ihr wisset, daß ihr das ewige Leben habt" (1 Joh 5,13).
5. zur rechten Lehre: „... das Wort, das gewiß ist nach der Lehre, auf daß es mächtig sei, zu ermahnen durch die gesunde Lehre und zu überführen, die da widersprechen" (Tit 1,9). Die Bibel gibt uns die erforderliche Korrektur im Denken und Leben. Der Sektierer hingegen benutzt die Bibel wie ein Nachschlagewerk, in der er nur die Bestätigung für das sucht, was ihn anderweitig gelehrt wurde.
6. zum sicheren Geleit durchs Leben: „Dein Wort ist meines Fußes Leuchte und ein Licht auf meinem Wege" (Ps 119,105).
7. zum Setzen von Prioritäten im Leben: „Trachtet am ersten nach dem Reich Gottes und nach seiner Gerechtigkeit, so wird euch solches alles zufallen" (Mt 6,33).
8. zur Kindererziehung: „So fasset nun diese Worte zu Herzen und in eure Seele ...und lehret sie eure Kinder" (5 Mo 11,18-19).
9. zum rechten Umgang mit dem Nächsten: „Du sollst deinen Nächsten lieben wie dich selbst" (Mt 19,19). „In Demut achte einer den anderen höher als sich selbst" (Phil 2,3). „Liebet

eure Feinde; segnet, die euch fluchen; tut wohl denen, die euch hassen; bittet für die, so euch beleidigen und verfolgen" (Mt 5,43).

10. zur Freude und Erfrischung: „... du erquickest mich damit" (Ps 119,93b).

„Dein Wort ist meines Herzens Freude und Trost" (Jer 15,16).

11. zum Trost in schwierigen Situationen: „Meine Seele liegt im Staube; erquicke mich nach deinem Wort" (Ps 119,25).

12. zur Hilfe in der Not: „Rufe mich an in der Not, so will ich dich erretten" (Ps 50,15).

13. zur Bewahrung vor Irrwegen: „Das Wort macht mich klug; darum hasse ich alle falschen Wege" (Ps 119,104). Jesus begründet die Irrwege der Menschen mit der Unkenntnis der Bibel: „Ihr irrt, weil ihr weder die Schriften kennt noch die Kraft Gottes" (Mt 22,29; Jerusalemer).

14. zur Bewahrung vor Sünde: „Ich behalte dein Wort in meinem Herzen, auf daß ich nicht wider dich sündige" (Ps 119,11).

15. zur Schulderkenntnis: „Denn alle Schrift... ist nütze zur Lehre, zur Aufdeckung der Schuld, zur Besserung, zur Erziehung in der Gerechtigkeit" (2 Tim 3,16).

16. zur Deutung des Zeitgeschehens: „Dies ist die Offenbarung Jesu Christi; ...seinen Knechten zu zeigen, was in Kürze geschehen soll" (Offb 1,1).

17. als Basis wissenschaftlicher Arbeit: Die Bibel liefert uns für zahlreiche Wissenschaften die grundlegenden Basissätze. Diese Arbeitsvoraussetzungen sind insbesondere in jenen Bereichen unverzichtbar, bei denen es um Herkunftsfragen geht (z. B. Kosmologie, Geologie, Biologie) oder wenn das Menschenbild eine grundlegende Rolle spielt (z. B. Psychologie, Medizin). .

18. zur Erkenntnis des Willens Gottes: „...auf daß ihr prüfen möget, was Gottes Wille ist" (Röm 12,2). Der Wille Gottes ist nicht nur in den Zehn Geboten (2 Mo 20,1-17), sondern an zahlreichen Stellen der Bibel offenbart (z. B. 1 Thess 4,3; 1 Thess 5,18; 1 Petr 2,15; Hebr 10, 36; Hebr 13,21).

19. zur Reinigung der Gedankenwelt: „Ihr seid schon rein um des Wortes willen, das ich zu euch geredet habe" (Joh 15,3).

20. zu klugem Handeln: „Denn die Furcht des Herrn ist der Weisheit Anfang. Das ist eine feine Klugheit, wer danach tut" (Ps 111,10).

IV. Wie sollen wir die Bibel lesen?

L1: Wir sollen die Bibel in *betender* Haltung lesen. Von *Luther* stammt der gute Rat: „Lege deine Hand nicht an die Schrift, sondern folge anbetend ihren Fußtapfen nach."
1. *mit der Bitte um Verständnis:* „Öffne mir die Augen, daß ich sehe die Wunder an deinem Gesetz" (Ps 119,18).
2. *mit dankbarer und Gott lobender Einstellung:* „Meine Lippen sollen loben, wenn du mich deine Rechte lehrst" (Ps 119,171).
3. *als Beschenkter:* „Ich freue mich über dein Wort wie einer, der eine große Beute kriegt" (Ps 119,162).

L2: Wir sollen die Bibel in *erwartungsvoller* Haltung lesen: „Ich sperre meinen Mund auf und lechze nach deinen Geboten; denn mich verlangt danach" (Ps 119,131).

L3: Wir sollen die Bibel mit *geistlicher* Gesinnung lesen: „...wir dienen im neuen Wesen des Geistes und nicht im alten Wesen des Buchstabens" (Röm 7, 6). Bei aller biblisch gebotenen Genauigkeit im Umgang mit den Texten (vgl. Satz B80) warnt die Bibel vor der falschen Buchstäblichkeit eines eingefrorenen und leblosen Glaubens (Mt 23,23+33) und verweist auf den geistlichen Sinn: „Welcher (= Gott) uns auch tüchtig gemacht hat und zu Dienern des neuen Bundes, nicht des Buchstabens, sondern des Geistes. Denn der Buchstabe tötet, aber der Geist macht lebendig" (2 Kor 3,6).

L4: Wir sollen die Bibel in *demütiger* Haltung lesen. Gottes Gedanken übersteigen unsere Vernunft, darum sollen wir nicht zweifeln, auch wenn wir nicht alles verstehen. Demut ist angeraten: „Denn meine Gedanken sind nicht eure Gedanken, und eure Wege sind nicht meine Wege, spricht der Herr" (Jes 55,8).

L5: Wir sollen die Bibel in *liebender* Haltung lesen: „Wie lieb habe ich dein Gesetz!" (Ps 119,97).

L6: Wir sollen die Bibel in *vertrauender* Haltung lesen: „... aber auf dein Wort will ich das Netz auswerfen" (Lk 5,5).

L7: Wir sollen die Bibel als persönlichen Brief Gottes an uns lesen, und zwar als Liebesbrief [G1, 186-188]. Von dem schwäbischen Theologen *Johann Albrecht Bengel* stammt das Zitat: „Die Schrift ist ein Brief, welchen mein Gott mir hat schreiben lassen, wonach ich mich richten soll und wonach mein Gott mich richten wird."

L8: Wir sollen die Bibel reichlich lesen: „Lasset das Wort Christi reichlich wohnen in euch: lehret und vermahnet euch selbst in aller Weisheit mit Psalmen und Lobgesängen und geistlichen Liedern und singet Gott dankbar in euren Herzen" (Kol 3,16).

V. Zehn Verheißungen für Bibelleser (Leser und Täter des Wortes)

V1: Zugehörigkeit zu Gott: „Wer von Gott ist, der hört Gottes Wort" (Joh 8, 47).

V2: Friede: „Großen Frieden haben, die dein Gesetz lieben; sie werden nicht straucheln" (Ps 119,165).

V3: Freude: „Solches rede ich zu euch, damit meine Freude in euch bleibe und eure Freude vollkommen werde" (Joh 15,11).

V4: Glückseligkeit: „Selig ist, der da hält die Worte der Weissagung" (Offb 22,7).

V5: Wohlergehen: „Der ist wie ein Baum, gepflanzt an den Wasserbächen, der seine Frucht bringt zu seiner Zeit; und seine Blätter verwelken nicht; und was er macht, das gerät wohl" (Ps 1,3).

V6: Gelingen: „Und laß das Gesetz nicht von deinem Munde kommen, sondern betrachte es Tag und Nacht, auf daß du haltest und tuest allerdinge nach dem, was darin geschrieben steht. Alsdann wird es dir gelingen in allem, was du tust, und wirst weise handeln können" (Jos 1,8).

V7: Gebetserhörung: „Wenn ihr in mir bleibet und meine Worte in euch bleiben, werdet ihr bitten, was ihr wollt, und es wird euch widerfahren" (Joh 15,7).

V8: Reinigung der Gedankenwelt: „Ihr seid schon rein um des Wortes willen, das ich zu euch geredet habe" (Joh 15,3).

V9: Wegweiser zur Seligkeit: „die heilige Schrift ..., die dich unterweisen kann zur Seligkeit durch den Glauben an Jesus Christus" (2 Tim 3,15).

V10: Gabe des ewigen Lebens: „Wer mein Wort hört und glaubet dem, der mich gesandt hat, der hat das ewige Leben und kommt nicht in das Gericht, sondern er ist vom Tode zum Leben hindurchgedrungen" (Joh 5,24).

Persönliches aus dem Leben des Autors

Im folgenden möchte ich im einzelnen darlegen, wie Gott mich durch Jesus Christus gefunden hat. An einigen ausgewählten Stationen möchte ich deutlich machen, welche Geschichte Gott mit mir gehabt hat und wie er in meinem Leben gewirkt, gerufen, geführt und gesegnet hat.

1. Kindheit und Jugend: Am 22. Februar 1937 wurde ich in Raineck/Kr. Ebenrode, Ostpreußen, auf dem elterlichen Bauernhof geboren. Die Flucht aus Raineck im Oktober 1944 nach Peterswalde (Südostpreußen) erlebte ich als Siebenjähriger. Als uns im Januar 1945 viel zu spät die Nachricht vom Einmarsch der Roten Armee erreichte, hieß die panikmachende Parole „Rette sich, wer kann!" Da ich mit hohem Fieber krank war, wurde mein Bett vom Wohnzimmer auf den Fluchtwagen verlegt. In aller Eile setzte sich nun erneut ein Treck mit Pferd und Wagen in Bewegung, der jedoch bald durch die Russen gestoppt wurde. Mein damals 15jähriger Bruder Fritz wurde direkt vom Wagen mitgenommen. Er ist nie wiedergekommen. Meine Mutter wurde bald danach in die Ukraine verschleppt und starb dort nach kurzer Zeit. Mit zwei Tanten, meiner Cousine Rena und meinem Großvater erlebte ich im November 1945 die Vertreibung. Mein Großvater starb nach einer Übernachtung im Freien, noch bevor der 10tägige Transport von Osterode/Ostpr. in Viehwaggons begann. Wir gelangten nach einem Zwischenaufenthalt in Sanitz bei Rostock schließlich auf die Nordseeinsel Wyk auf Föhr.

Mein Vater war in französischer Gefangenschaft und wußte nichts von dem Schicksal seiner Familie. Die monatlich gewährten Briefbögen konnte er im Gegensatz zu den anderen Mitgefangenen nicht ausnutzen, weil nahezu alle unsere Verwandten aus Ostpreußen stammten. Die neuen Wohnorte von geflüchteten Verwandten kannte er nicht. Eines Nachts hat er im Lager einen Traum, in dem er einen weit entfernten Verwandten trifft, der schon vor dem Krieg im Rheinland wohnte. Als sie sich nach einem Gespräch nach jahrelangem Wiedersehen verabschieden, sagt dieser: „Hermann, besuch mich doch mal!" Mein Vater sagt im Traum zu: „Aber wo wohnst Du denn? Ich kenne doch Deine Anschrift nicht." Der Verwandte erklärt ihm deutlich: „Bochum, Dorstener Str. 134 a." Danach wacht mein Vater auf, zündet in der Nacht ein Licht an und schreibt die soeben im Traum erfahrene Adresse auf. Den wachgewordenen Kameraden im Schlafsaal erzählt er die sonderbare Traumgeschichte. Sie verlachen ihn, weil er es ernst nimmt und sogar beteuert, daß er gleich am folgenden Tage dorthin schreiben wolle. Der Antwortbrief bestätigt die Adresse als exakt richtig und über diesen entfernten Onkel kommt der Kontakt zu meiner Tante Lina nach Wyk auf Föhr zustande. Die Nachricht vom Leben meines Vaters machte mich überglücklich. Ich konnte es zunächst gar nicht fassen, daß ich nicht mehr Vollwaise war, sondern wieder einen Vater hatte. Als mein Vater dann 1947 aus französischer Gefangenschaft zurückkam, fand er mich dort als Rest der verschollenen Familie vor. Auf der Suche nach Arbeit gelangte er mit mir auf einen Bauernhof in Saaße, einem wendischen Runddorf in der Nähe Lüchows.

Bemerkenswert für jene Zeit war, daß Jungen aus dem Dorf mich zu einer Kinderstunde einluden. Ich konnte mir nichts unter einer Kinderstunde vorstellen und dachte, dort würden Märchen erzählt. So ging ich mit und erlebte die erste Stunde, die in dem einzigen Zimmer einer dort tätigen Gemeindeschwester stattfand. Schwester Erna erzählte mit großer Ausstrahlung jeden Sonntagmorgen eine biblische Geschichte. Sie betete und sang mit uns viele frohmachende Lieder. Ich merkte schon in der ersten Stunde, daß hier etwas geschah, was mit Märchen absolut nichts zu tun hatte. Von der Botschaft war ich persönlich berührt. Es hat mich alles sehr angesprochen, und so nahm ich von da an regelmäßig an diesen Kinderstunden teil.

Im folgenden Jahr heiratete mein Vater wieder, und ich zog bald zu seiner Frau ins Nachbardorf Jeetzel, während mein Vater mehrere Dörfer weiter in der Landwirtschaft tätig war.

Meine Stiefmutter war mir sehr zugetan, obwohl sie bei den Bauern als Hausschneiderin hart arbeiten mußte, um bei einem Tageslohn von 3,– DM und freier Verpflegung durchzukommen. Sie war eine gläubige Katholikin, jedoch hat sie mich in meinem beeinflußbaren Alter nie zum Katholizismus beeinflußt, was ich ihr heute noch dankbar anrechne. Ich besuchte nach wie vor regelmäßig – unabhängig von jeglicher Wetterlage – die Kinderstunden. Durch den treuen Dienst der Schwester Erna wurde in meinem Herzen das Samenkorn des Wortes Gottes gelegt, das eines Tages aufgehen sollte. Als mein Vater in Westfalen eine Arbeit in der Industrie fand, zogen wir 1950 nach Hohenlimburg um. Allerdings bot sich an jenem neuen Ort keine glaubensfördernde Gemeinschaft, sondern eher das Gegenteil. Der Religionsunterricht wirkte auf mich wegen seiner bibelkritischen Prägung derart, daß ich in Erinnerung an jene Kinderstunden immer wieder dachte: „Schade, daß die Geschichten der Bibel nicht so wahr sind, wie ich es bei Schwester Erna gelernt habe." Dennoch, der glimmende Docht, die Sehnsucht nach Wahrheit, war nie erloschen. Auch ein gelegentlicher Kirchenbesuch brachte mich in der Suche nach Gott nicht weiter, da die Predigten weitgehend unverbindlich waren und somit keine entscheidende Wende herbeizuführen vermochten.

2. Mein Weg zu Gott: Nach Abschluß des Studiums in Hannover mit anschließender Promotionszeit in Aachen fing ich im Oktober 1971 bei der Physikalisch-Technischen Bundesanstalt in Braunschweig als Leiter des Bereiches Datenverarbeitung an. Meine damalige Situation läßt sich wie folgt charakterisieren: Beruflich hatte ich gute Erfolge erlebt. Die Diplomprüfung in zwei Fachrichtungen bestand ich mühelos mit „sehr gut", und die Doktorarbeit wurde mit „Auszeichnung" unter gleichzeitiger Verleihung der Borchers-Plakette der TH Aachen bewertet. Nahtlos daran schloß sich eine leitende Stellung als Wissenschaftler an. 1966 hatte ich geheiratet, und mit unseren zwei Kindern waren wir eine glückliche Familie. Uns ging es rundum gut, denn wir kannten weder familiäre, gesundheitliche noch finanzielle Probleme. So würde manch einer denken, in solch einer Situation braucht man keinen Gott. Ich betone dies deswegen, weil ich immer wieder Zeugnisse von Menschen höre, die sich erst durch eine besondere persönliche Not für das Evangelium öffneten. Bei mir war es nicht so, denn Gottes Wege mit dem einzelnen sind so vielfältig, wie es Menschen auf dieser Erde gibt.

Im Herbst 1972 fanden in Braunschweig zwei unterschiedlich geartete Evangelisationen statt, die ich zusammen mit meiner Frau regelmäßig besuchte. Eine kleine christliche Gruppe evangelisierte in der zu unserer Wohngegend gehörenden Realschule. Es war eine einfallsreiche Methode, jedem Besucher eine Bibel und einen Rotstift auszuhändigen. Zentrale Aussagen der Bibel wurden unter aktiver Mitarbeit der Zuhörer erarbeitet und alle behandelten Bibelstellen sogleich farbig angestrichen. Nach Abschluß dieser unüblichen, aber doch effektiven Verkündigungswoche durften wir die Bibeln behalten. So hatten meine Frau und ich je eine eigene gleiche Bibel, und beim Lesen stießen wir häufig auf Stellen, die bereits markiert waren und somit einen gewissen Vertrautheitsgrad vermittelten. Die andere Evangelisation fand nur kurze Zeit danach statt. Täglich kamen an die 2000 Personen in die Stadthalle Braunschweig. Hier standen thematisch eng gefaßte, aber eindeutig auf Entscheidung ausgerichtete Botschaften im Mittelpunkt. Der Ruf zum Glauben, die Entscheidung für Jesus Christus erging allabendlich als deutlich formulierte Einladung. Bei der Predigt von Leo Janz nach Lukas 17,33-36 kam die Wahlentscheidung zwischen Rettung und Verlorensein so deutlich zum Ausdruck, daß ich der allgemeinen Aufforderung, nach vorne zu kommen, nach der Überwindung von „Furcht und Zittern" folgte. Auch meine Frau ging mit. Einzelgespräch und Gebet mit einem Seelsorgehelfer waren sehr hilfreich, um zur Gewißheit der Rettung zu kommen. Bemerkenswerterweise gehörten unsere beiden Gesprächspartner demselben Hauskreis an, in dem wir dann auch bald mit dabei waren. Weitere Verkündigungstage in Braunschweig folgten. An einigen Abenden sprach Pastor Heinrich Kemner in der überfüllten Martinikirche. Unvergeßlich ist mir heute noch seine Predigt über die Tempelquelle nach Hesekiel 47. Durch seine vollmächtige Botschaft war ich derart angesprochen, daß ich sogleich beschloß, herauszubekommen, woher dieser originelle Mann kam. Den mußte ich wieder hören! So führte mich der Weg bald nach Krelingen, dem idyllischen Heidedorf in der Nähe von Walsrode. Die folgenden Ahldener Jugendtage unter den Krelinger Eichen, aber auch die Erweckungstage prägten entscheidend mein Glaubenswachstum. Auch die Bücher von Pastor Kemner gaben mir wichtige Anstöße und wirkten auf mich in starkem Maße ausrichtend.

Nach all diesen Ereignissen, die mich zu einem vertieften eigenen Bibelstudium führten, kam ich zu einer für mich einschneidenden Erfahrung: Die Bibel ist in ihrer Ganzheit Gottes Wort und trägt das absolute Siegel der Wahrheit. Dies war ein so stabiles Fundament, das sich in allen Situationen des Lebens und Denkens als äußerst tragfähig erwies. Das schlichte Vertrauen in Gottes Wort, das ich von den Kinderstunden her kannte, gewann ich nicht nur zurück, sondern es erfuhr eine solche Festigung, daß ich bereit war, dies auch bekennend weiterzuvermitteln. Dies geschah neben dem persönlichen Zeugnis zunächst hier und da in Bibelstunden, die ich in unserer Gemeinde hielt. Die Zugehörigkeit zu einer bibeltreuen Gemeinde und das persönliche Einbringen im Gemeindeleben habe ich als unbedingt notwendig erkannt, wenn wir verbindlich zu Christus gehören wollen.

Ich durfte Jesus als den Christus, den Sohn Gottes, den Retter aus meiner Verlorenheit erkennen. Er, der von Ewigkeit her war, kam von Gott, dem Vater, wurde Mensch und erlöste uns nach einem Plan, den sich kein Intellekt ausdenken konnte. Das Neue Testament offenbart uns, daß Gott durch diesen Jesus das ganze Universum ebenso wie diese Erde und alles Leben darauf erschuf. Es ist nichts ausgenommen, denn „alle Dinge sind durch dasselbe (= das Wort, der Logos = Jesus) gemacht, und ohne dasselbe ist nichts gemacht, was gemacht ist" (Joh 1,3). Es ist nicht nur alles durch ihn, sondern auch zu ihm hin als Zielpunkt geschaffen (Kol 1,16).

Es gehört für mich zu den erhabensten Gedanken: Der Schöpfer und der Mann am Kreuz ist ein und dieselbe Person! Was hat diesen Herrn aller Herren und König aller Könige nur dazu bewogen, für mich ans Kreuz zu gehen? Mein Verstand kann dies nicht ausloten, aber Johannes 3,16 gibt mir die Antwort: Es ist seine grenzenlose Liebe, die alles für mich tat, damit ich nicht verlorengehe.

3. Bibel und Wissenschaft: Ein Themenkomplex der Bibel faszinierte mich immer wieder: Es war der Zusammenhang biblischer Aussagen mit naturwissenschaftlichen Fragestellungen, und hier besonders die Frage nach der Schöpfung. Ich merkte, daß diese Schnittstelle zwischen Denken und Glauben für viele intellektuell geprägte Zeitgenossen den entscheidenden Prüfstein für den Glauben überhaupt darstellt. Ist die Evolutionstheorie wahr, dann kann der Schöpfungsbericht nicht gleichzeitig auch wahr sein. Ist aber der Schöpfungsbericht wahr, dann ist die Evolutionslehre einer der grundlegenden und damit verheerendsten Irrtümer der Weltgeschichte. Für die Beurteilung der Evolutionsidee fand ich aus der Sicht feststehender Sätze meines Fachgebietes – der Informatik – heraus: Dieses Modell ist nicht nur in einigen Details falsch, sondern schon im Grundansatz. Ein Kernpunkt des Lebens ist die in den Zellen enthaltene Information. Information ist aber kein materielles Phänomen, sondern eine durch Wille und Intelligenz zustandegekommene geistige Größe. Neue Information kann also nur durch einen kreativen Denkprozeß entstehen, nicht aber durch Mutation oder Selektion. Genau das beschreibt auch die Bibel in vielfältigen Ausdrucksweisen wie z. B. in Sprüche 3,19: „Denn der Herr hat die Erde durch Weisheit gegründet und durch seinen Rat die Himmel bereitet."

4. Im Dienst Jesu: Als wir 1976 mit einer befreundeten Familie einen gemeinsamen Urlaub auf der Nordseeinsel Langeoog verbrachten, kamen wir in den Strandgesprächen mit einem Freund immer wieder auf Schöpfungsfragen zu sprechen. Er schlug vor, daß ich meine Gedanken einmal in seiner Gemeinde vortragen solle. So kam es 1977 zu einem ersten öffentlichen Vortrag. Ich war erstaunt, daß an jenem Abend, für den es außer der „Mund-zu-Mund-Propaganda" keine Werbung gab, so viele auswärtige Gäste kamen. Die Thematik brannte offenbar vielen auf der Seele. Dieser Vortrag löste weitere Anfragen aus. Im Laufe der folgenden Jahre gab es dann eine solche Ausweitung der Vortragsdienste im Lande, daß ich bald nur noch einen gewissen Anteil der Anfragen realisieren konnte.

Als ich eines Tages einen Aufsatz in einer christlichen Zeitschrift las, worin der Autor die Evolutionsidee mit dem biblischen Schöpfungszeugnis vermischte, veranlaßte mich dies, dem einen eigenen biblisch orientierten Artikel gegenüberzustellen. Der Aufsatz wurde jedoch abgelehnt, weil die Redaktion einen anderen „theologischen Standpunkt" vertrat. Zusammen mit dem Beitrag eines Koautors erschienen die Aufsätze im Mai 1977 in Braunschweig als Broschüre mit einer Auflage von 3000 Exemplaren. Bald darauf trat ein Verlag mit der Bitte an uns heran, die Beiträge ausführlicher zu gestalten, um sie als Taschenbuch herauszubringen.

Eine neue Perspektive tat sich durch die Mitarbeit in der Studiengemeinschaft „WORT UND WISSEN" (W+W) auf. Seit 1981 gehöre ich zum Leitungskreis dieses eingetragenen Vereins, der es sich zur Aufgabe gemacht hat, das Wort Gottes in unserer Zeit zur Sprache zu bringen und darauf gründend eine biblisch orientierte Wissenschaft zu betreiben. Die Lehren der Evolution haben das Denken in den verschiedensten Bereichen der Natur- und Geisteswissenschaften nachhaltig und nachteilig beeinflußt. Insbesondere den Intellektuellen ist dadurch der Zugang zur Bibel so erschwert worden, daß es not tut, ihnen Hilfestellung zu geben. An vielen Stellen läßt sich schon jetzt zeigen, daß die vom biblischen Schöpfungszeugnis ausgehenden Deutungen wissenschaftlicher Fakten der Realität viel eher gerecht werden als Deutungsversuche im Rahmen der Evolutionslehre. Die W+W-Arbeit soll helfen, das solide Fundament des Wortes Gottes zu erkennen und das Vertrauen darein zu stärken. Durch Buchreihen, Seminare und Vorträge werden die Erkenntnisse an Schüler, Studenten, Intellektuelle, aber auch Gemeinden weitergegeben. Rückblickend staune ich, wie man zum Buchautor wird (siehe Literaturverzeichnis), ohne dies je gewollt oder nur geahnt zu haben. Wenn ich die Wegführung Gottes in meinem Leben sehe und zu deuten versuche, dann gewinnt ein Satz, den *Heinrich Kemner* geprägt hat, für mich persönliche Bedeutung: „Wir schieben nicht, wir werden geschoben." Wenn Gott Türen öffnet, soll man sie durchschreiten, denn nur was er vorbereitet hat, steht unter seinem Segen.

Besondere geistliche Ereignisse des Jahres sind für mich der Einsatz in der Zeltmission oder auch bei größeren Evangelisationen. 1991 wird mir unvergeßlich in Erinnerung bleiben, weil ich neun Tage lang im Großen Saal der Stadthalle Braunschweig das Evangelium verkündigen durfte. An der Stelle, wo ich 1972 selbst eine Entscheidung getroffen hatte, konnte ich nun in evangelistischen Botschaften andere Menschen in die Nachfolge Jesu rufen. Vorträge evangelistischer Art, aber auch mit der Thematik von Glauben und Denken, halte ich im In- und Ausland. Es begann damit, daß ich 1977 bei einer Predigt von *Paul Meyer* über den Reichen Jüngling den Ruf zur Mitarbeit verspürte. Im Sommer 1978 hatte ich dann meinen ersten Zeltdienst als Evangelist in Nienhagen bei Celle. Bemerkenswerterweise fällt dieses Jahr zusammen mit meiner Ernennung zum Direktor und Professor. Sollte das nur ein Zufall sein? In Matthäus 6,33 sagt Jesus: „Trachtet am ersten nach dem Reich Gottes und nach seiner Gerechtigkeit, so wird euch solches alles zufallen."

Literaturverzeichnis

Auf die Literatur des Verfassers wird im Text durch die Kurz-
form Großbuchstabe G, gefolgt von einer laufenden Nummer
und der Seitenangabe, verwiesen:

[G1]   So steht's geschrieben – Zur Wahrhaftigkeit der Bibel
        – Neuhausen-Stuttgart, 3. verb. Aufl. 1993

[G2]   Das biblische Zeugnis der Schöpfung
        Neuhausen-Stuttgart, 5. Aufl. 1993

[G3]   Und die anderen Religionen?
        Bielefeld, 3. Aufl. 1992

[G4]   In 6 Tagen vom Chaos zum Menschen
        – Logos oder Chaos –
        Aussagen und Einwände zur Evolutionslehre sowie
        eine tragfähige Alternative
        Neuhausen-Stuttgart, 3. verb. Aufl. 1993

[G5]   Am Anfang war die Information
        Neuhausen-Stuttgart, 1994

[G6]   Schuf Gott durch Evolution?
        Neuhausen-Stuttgart, 3. Aufl. 1993

[G7]   Nur die Klugen kommen ins Himmelreich
        (Auslegung des Gleichnisses vom „ungerechten"
        Haushalter nach Lukas 16,1-8)
        Zeitschrift Bibel und Gemeinde (1985),
        H. 2, S. 191-200

Hinweise auf Schriften anderer Autoren kommen im allg. nur
einmal vor; eine Auswahl von Quellangaben wird darum im
Text direkt genannt.

Den wörtlich zitierten Bibelstellen liegt die Luther-Übersetzung (AT: 1912; NT: 1956) zugrunde; andere Bibelausgaben sind nach dem jeweiligen Zitatende angegeben. Das im heutigen Sprachgebrauch mißverständliche Wort „Weib" wurde generell durch „Frau" ersetzt.

Erklärung der verwendeten Abkürzungen für die biblischen Bücher

Bücher des Alten Testaments (AT)

1 Mo	1. Mose (Genesis)	Pred	Prediger
2 Mo	2. Mose (Exodus)	Hoh	Hohelied
3 Mo	3. Mose (Leviticus)	Jes	Jesaja
4 Mo	4. Mose (Numeri)	Jer	Jeremia
5 Mo	5. Mose (Deuteronomium)	Klgl	Klagelieder
Jos	Josua	Hes	Hesekiel
Ri	Richter	Dan	Daniel
Rt	Ruth	Hos	Hosea
1 Sam	1. Samuel	Jl	Joel
2 Sam	2. Samuel	Am	Amos
1 Kön	1. Könige	Ob	Obadja
2 Kön	2. Könige	Jn	Jona
1 Chr	1. Chronik	Mi	Micha
2 Chr	2. Chronik	Nah	Nahum
Es	Esra	Hab	Habakuk
Neh	Nehemia	Zep	Zephanja
Esth	Esther	Hag	Haggai
Hi	Hiob	Sach	Sacharja
Ps	Psalmen	Mal	Maleachi
Spr	Sprüche		

Bücher des Neuen Testaments (NT)

Mt	Matthäus	1 Tim	1. Timotheus
Mk	Markus	2 Tim	2. Timotheus
Lk	Lukas	Tit	Titus
Joh	Johannes	Phlm	Philemon
Apg	Apostelgeschichte	1 Petr	1. Petrus
Röm	Römer	2 Petr	2. Petrus
1 Kor	1. Korinther	1 Joh	1. Johannes
2 Kor	2. Korinther	2 Joh	2. Johannes
Gal	Galater	3 Joh	3. Johannes
Eph	Epheser	Hebr	Hebräer
Phil	Philipper	Jak	Jakobus
Kol	Kolosser	Jud	Judas
1 Thess	1. Thessalonicher	Offb	Offenbarung
2 Thess	2. Thessalonicher		

Werner Gitt

Signale aus dem All –
Wozu gibt es Sterne?

224 Seiten
DM 4,80
ISBN 3-89397-705-2

Dieses Buch ist keine Abhandlung über »kleine grüne Männer«, Signale von Pulsaren oder irgendwelche Intelligenzen auf fernen Galaxien und deren mögliche Existenz.

Hier geht es vielmehr um eine Botschaft, welche die Sternensysteme an uns Menschen haben. Fragestellungen werden behandelt, die ebenso faszinierend wie grundlegend sind: Woher kommt das Universum? Ist es zufällig entstanden oder steht ein zielorientierter Plan dahinter? Wozu gibt es überhaupt Sterne und das riesige Universum? Was war der Stern von Bethlehem? Gibt es einen Schöpfer und kann man ihn persönlich kennenlernen?

Der Sternenhimmel ist für jedermann von jedem Punkt der Erde aus beobachtbar. So fordert uns diese beeindruckende Szenerie zum Nachdenken heraus.

Wolfgang Bühne

Wenn Gott wirklich wäre ...

128 Seiten
DM 3,80
ISBN 3-89397-755-4

»Was wäre für Sie das größte Unglück?«

Ein bekannter Verleger sollte letztens
diese Frage im Magazin der FAZ
beantworten.

Seine Antwort war kurz und
verblüffend: *»Wenn es Gott gäbe!«*
Offensichtlich wollte dieser Mann
damit sagen, daß dann sein bisheriges
Leben eine tragische, nicht mehr
gutzumachende Fehlplanung war.

Dieses Buch geht der Frage nach,
ob die Tatsache der Existenz Gottes
nur Bestürzung auslösen muß, oder
ob darin nicht eindeutige, vernünftige
und befreiende Antworten auf die
tiefsten Fragen unseres Lebens
enthalten sind.

dlv

Taschenbuch